尚志钧 本草文献全集

本草古籍辑注丛书·第一辑

2018年度国家古籍整理出版专项经费资助项目

尚志钧／辑注

尚元胜 尚云飞／整理
尚元藕 任 何

尚志钧百年诞辰典藏

《吴氏本草经》辑校

【魏】吴普 著

尚志钧 辑校

北京科学技术出版社

U0239770

图书在版编目（CIP）数据

本草古籍辑注丛书. 第一辑.《吴氏本草经》辑校／（魏）吴普著；尚志钧辑校. —北京：北京科学技术出版社，2019.1
ISBN 978 - 7 - 5304 - 9984 - 9

Ⅰ. ①本…　　Ⅱ. ①吴…②尚…　　Ⅲ. ①本草 – 中医典籍 – 注释②《神农本草经》
Ⅳ. ①R281.3

中国版本图书馆 CIP 数据核字（2018）第 268619 号

本草古籍辑注丛书·第一辑.《吴氏本草经》辑校

辑　　校：尚志钧
策划编辑：侍　伟　白世敬
责任编辑：杨朝晖　张　洁　董桂红　白世敬　朱会兰　吴　丹
责任印制：张　良
责任校对：贾　荣
出 版 人：曾庆宇
出版发行：北京科学技术出版社
社　　址：北京西直门南大街 16 号
邮政编码：100035
电话传真：0086 - 10 - 66135495（总编室）
　　　　　0086 - 10 - 66113227（发行部）
　　　　　0086 - 10 - 66161952（发行部传真）
电子信箱：bjkj@ bjkjpress. com
网　　址：www. bkydw. cn
经　　销：新华书店
印　　刷：北京七彩京通数码快印有限公司
开　　本：787mm×1092mm　1/16
字　　数：295 千字
印　　张：16.5
版　　次：2019 年 1 月第 1 版
印　　次：2019 年 1 月第 1 次印刷
ISBN 978 - 7 - 5304 - 9984 - 9/R·2539

定　　价：450.00 元

序

　　《吴氏本草经》是魏晋时多种同名异书的《本草经》之一。梁·陶弘景称这些《本草经》为"诸经"。"诸经"就是魏晋诸名医在 4 卷本《本草经》基础上修订的多种同名异书的《本草经》。

　　陶弘景《本草经集注·序录》云："今之所存，有此四卷，是其《本经》，……魏晋以来，吴普、李当之更复损益，或五百九十五，或四百四十一，或三百一十九，或三品混糅，冷热舛错，草石不分，虫兽无辨，且所主治，互有得失，医家不能备见，则识智有浅深。今辄苞综诸经……"

　　按陶序所云，《吴氏本草经》是魏晋时"诸经"中的一种。它包含有 4 卷本《本草经》的内容，也包含有名医增录的内容。在药品数量上，和《本草经集注》（简称《集注》）中"本经"药数不同，在药物条文书写体例上，也和《集注》中"本经"药物体例不同。

　　《吴氏本草经》保持陶氏以前"诸经"体例模式与风格，它是研究魏晋时《本草经》的重要参考资料，同时也是中医药学中一部重要的本草学专著。

　　《吴氏本草经》为魏·吴普所著。吴普约生于汉代永和年间，殁于魏嘉平初年，师承华佗之学，为华佗高足。

　　本书约成于公元 3 世纪初，亡佚于宋，历代文献多有引用。医药书如《集注》《新修本草》《蜀本草》《嘉祐本草》《本草图经》《证类本草》；农书如《齐民要术》）；类书如《艺文类聚》《初学记》《北堂书钞》《太平御览》；字书如《一切经音义》；史书如《汉书》注；日本著作如《香药钞》《药种钞》《秘府略》等，亦多所采摭。可见该书在本草学中有一定的地位和作用。

本书从宋以后逐渐亡佚，清·孙星衍将《太平御览》吴普文附于孙氏《本经》相应条下，清·焦循辑有手稿，但所辑均不完备。笔者于 1958 年在北京卫生部举办的"中药研究班"进修时，完成本书重辑工作。在辑复的过程中，有很多问题都请教过范行准先生。

如孙星衍以《太平御览》"本草经"所引"菁实"条为吴普文，并附于卷 1 "菁实"条下；焦循以《太平御览》"甄氏本草"所引"复盆"条为吴普文，收入手稿中。通读诸类书，俱未见吴氏引用过此等药。请教范老，范老认为孙、焦二氏或出于笔误，可以不录。

1960 年回芜湖医专后，连同范老审阅过的《新修本草》《集注》等稿，于1962 年由芜湖医专油印成册，同国内学术界交流。

其后又加修订，增录为 270 条。陶氏《集注》分为玉石 1 卷、草木 3 卷、虫兽1 卷、果菜米谷 1 卷，共为 6 卷，各类药物又分上、中、下三品。每药按正名、别名、药性、产地、药物形态、采收时月、加工炮制、功能主治、七情畏恶等次序排列。由于各书所引吴普佚文残缺，在每味药内容中，很少齐全。

对诸书所引吴普文同一条目互有异同的，以早出者为底本，以晚出者补之。对其间差异，择其善者而从之，并出注说明。

由于本人学术水平所限，错误、缺点难免，敬希读者指正。

尚志钧

于皖南医学院弋矶山医院

1981 年 6 月

辑校说明

（一）书的名称

（1）《吴普本草》。《隋书·经籍志》"神农本草八卷"注云："梁有华佗弟子《吴普本草》六卷。"郑樵《通志·艺文略》"医方类"有《吴普本草》6卷。

（2）《吴氏本草》。《太平御览》引书目及掌禹锡《嘉祐本草·补注所引书传》均作《吴氏本草》。

（3）《吴氏本草经》。《初学记》《太平御览》药物条文所冠引书名，作《吴氏本草经》。如《太平御览》卷993"茈胡""房葵"条，均冠有"吴氏本草经曰"。

（4）《吴氏本草因》。《新唐书·艺文志》"医术类"记有《吴氏本草因》6卷，题吴普撰。

（5）《吕氏本草》。《太平御览》"郁核""石蚕"条，所冠引书名作《吕氏本草》。

（6）《吕氏本草因》。《旧唐书·经籍志》"医术"记有《吕氏本草因》，题吴普撰。

上述6个书名中，以"吴氏本草经"名称较为合理，因为吴氏书是在《神农本草经》基础上修订的。

《本草经集注·序录》云："魏晋以来，吴普、李当之更复损益（指修订《本草经》）。"《嘉祐本草·补注所引书传》云："《吴氏本草》，魏·广陵人吴普撰。

普，华佗弟子，修《神农本草》成四百四十一种。"可见本书是吴氏所修《本草经》而成。查《太平御览》药物引文，冠"吴氏本草经曰"共有 48 条。这说明在《太平御览》编纂时，确有《吴氏本草经》书名存在，为此本书即以"吴氏本草经"为书名。

（二）本书收载药数

梁·陶弘景序记载，吴普、李当之等更复损益（指修订《本经》），或 595 种，或 441 种，或 319 种。《嘉祐本草·补注所引书传》谓吴普修《神农本草》成 441 种。据此，《吴氏本草经》原书载药是 441 种。其书虽亡佚，但部分药物尚残存于唐宋类书和本草书中。如《太平御览》存吴普药名 193 味，剔除重复，亦有 191 种。合计他书所引，得药 270 味，仅为原书 61%。

（三）本书分卷

据历代书志所载，本书为 6 卷。但《蜀本草》"假苏"条，注《吴氏本草》为 1 卷，明代《药品化义》亦从《蜀本草》为 1 卷。梁·陶弘景序云："今之所存者有此四卷，是其本经。"《本经》载药 365 种，分为 4 卷，而吴普修订《本经》成 441 种，其卷数当多于《本经》，则诸书所记《吴氏本草经》为 6 卷，是可信的。本书依照陶弘景的《集注》，分玉石 1 卷、草木 3 卷、虫兽 1 卷、果菜米谷 1 卷。各卷又分上、中、下三品。

（四）本书三品分类

本书三品分类是据敦煌出土的陶弘景的《集注》"七情畏恶药例"次序编排，《集注》药物三品位置与《证类本草》（简称《证类》）药物三品位置，不完全相同。例如水银、龙眼、石龙芮、秦椒、水萍等，《集注》列在上品，《证类》列在中品；防风、黄连、五味、决明子、芎䓖、丹参、续断、白沙参、海蛤、石蚕等，《集注》列在中品，《证类》列在上品；桔梗，《集注》列在中品，《证类》列在下品；款冬、牡丹、防己、女菀、泽兰、紫参、䗪蟖等，《集注》列在下品，《证类》列在中品。所以本书药物三品位置与《证类》不完全相同。

（五）本书辑校

本书久佚，无任何底本可据。本辑文以现存资料年代最早者为主，以晚出者补之。由于各书所引吴普文都是残文，因此本书所辑的条文，很少是完整的条文。

同一条文，诸书所引，互有差异时，择其善者而从之，并出注说明。

本辑文从《太平御览》辑录最多，用 5 种不同版本校勘，其中以商务印书馆（简称"商务"）本为底本，其他本为校本。

本辑文校勘，以所据资料年代早者为据，校之以晚出者，并以各自不同版本对校，参以他校，适当采用理校，同时分别出校记。但对他校本中显系错误或脱漏处，不出校记。

凡校勘处，均在其字、词、句右上角加脚注序码，注文附于条目之下。

凡吴普文与《本经》相同，加墨点为标记，与《别录》相同，加横线为识别。

所辑原文（包括古体字、异体字）改为简体字，个别药物正名例外。

（六）相关文献问题

至于《吴氏本草经》有关文献问题，另作专题论述，不在书中讨论。详见本书所附文献研究。

本书校注文中书名简称介绍

《御览》：即《太平御览》，宋·李昉等撰，1936年商务影印本。

《御览》其他校本：指不同版本《御览》。"明抄本"即明代抄本；"学本"即学训堂聚珍本；"鲍本"即嘉庆十二年歙鲍氏校宋本；"从本"即从善堂藏本。

《初学记》：唐·徐坚撰，孔氏三十有三万卷堂藏版。

《北堂书钞》：唐·虞世南撰，南海孔广陶校注本。

《艺文》：即《艺文类聚》，唐·欧阳询等撰，1959年中华书局影印宋绍兴本。

《要术》：即《齐民要术》，后魏·贾思勰撰，商务版，丛书集成初编本。

《后汉书》：范晔撰，中华书局聚珍仿宋版本印，四部备要本。

《证类》：即《重修政和经史证类备用本草》，宋·唐慎微撰，1957年人民卫生出版社（简称"人卫"）影印，4页合1页本。

《纲目》：即《本草纲目》，明·李时珍撰，1957年人卫据清光绪十一年张氏味古斋本影印。

孙本：即《神农本草经》，孙星衍、孙冯翼合辑，1937年商务版铅印本。

问本：即《神农本草经》，孙星衍、孙冯翼合辑，清嘉庆四年己未阳湖孙氏刻，《问经堂丛书》本。

周本：即《神农本草经》，孙星衍、孙冯翼合辑，清光绪十七年辛卯池阳周学海刊本。

黄本：即《神农本草经》，黄奭辑，清光绪十九年癸巳黄奭辑刻，《汉学堂丛书》子史钩沉本。

焦本：清·焦循辑《吴氏本草》，手抄本。

《唐本草》：即《新修本草》，唐·苏敬撰，尚志钧辑校，1981 年安徽科学技术出版社出版。

《本草汇言》：明·倪朱谟撰，清顺治间刊本。

《一切经音义》：唐·释慧琳撰，日本元文三年刊本。该书是百卷本，有时称《大藏经音义》。

《一切经音义》：唐·释元应撰，清同治八年，武林张氏宝晋斋刊本。该书是 25 卷。（释元应原名释玄应，清代刻本因避康熙皇帝玄烨讳，改"玄"为"元"。）

《编珠》：隋大业四年著作郎杜公瞻奉敕撰。清康熙三十七年高士奇校刊巾箱本。（张心澂《伪书通考》页 944，谓《编珠》是伪书。）

《记纂渊海》：宋·潘自牧著。明万历已卯胡维新刻本。

《广群芳谱》：即《佩文斋广群芳谱》，明·王象晋著。清康熙四十七年刘灏等奉敕重校刊本。

《渊鉴类函》：清康熙四十九年张英等奉敕撰。

《广雅疏证》：清·王念孙疏证，中华书局聚珍仿宋版印，四部备要本。

《图考》：即《植物名实图考长编》，清·吴其濬撰，1963 年中华书局出版。

《秘府略》：日本滋野贞主等集，《吉石庵丛书》本。（该书是公元 830 年日本官方据北齐《修文殿御览》纂的类书。）

《药种钞》：日本亮阿阇梨兼意抄集。

《香药钞》：日本亮阿阇梨兼意抄集。

编校说明

（一）本书为尚志钧先生辑注的本草古籍。本次整理以尚志钧先生已出版的图书《吴氏本草经》为基础书稿。

（二）尚志钧先生原书有简化字，也有繁体字，本次统一使用简化字编排。对书稿进行编辑加工时，主要依据国家语言文字工作委员会文字规范文件（《简化字总表》《异体字整理表》等）的规定以及《汉语大字典》的相关释义，在不影响原义的情况下，将书稿中的繁体字、异体字、通假字等改为现行规范字。但对以下情况做变通或特别处理。

1. 简化字可能使字义淆错或不明晰的，不予简化。如中医病名"癥瘕"之"癥"不简化为"症"，等。

2. 古书中的特有、习惯表达，不改为现代用字。如"华"不改"花"，"文"不改"纹"，"合"不改"盒"，等。

（三）对于书稿中的明显的错别字以及常识性错误，编加时直接予以改正，不予出注。

（四）为方便读者阅读，古籍卷页均以阿拉伯数字表示。如卷23页76，卷987页3。

（五）为方便查找及统计，尊重并保留原书药物条文编号。

在本书的编辑整理过程中，得到了尚志钧先生弟子郑金生研究员以及国内多位中医文献学者、古籍出版专家的悉心指教。由于本书体量巨大，且出版时间紧促，编辑水平有限，疏漏谬误，恐所难免，欢迎广大读者批评指正，以期再版更正。

目　录

上篇　尚志钧辑《吴氏本草经》

中篇　《吴普本草》文献源流丛考

下篇　焦涵辑《吴氏本草经》校注

上篇　尚志钧辑《吴氏本草经》

玉石三品卷第一

一、玉石上品

1　玉泉　《御览》卷988页6

一名玉屑[1]。神农、岐伯、雷公：甘。季氏[2]：平。畏冬华，恶青竹[3]。

【校注】

[1]　**玉屑**　此玉屑为本条玉泉异名。但《证类》《别录》另有"玉屑"专条，以"玉屑"为正名。

[2]　**季氏**　《纲目》引吴普文作"李当之"。

[3]　**畏冬华，恶青竹**　《纲目》引吴普文作"畏款冬花、青竹。"

2　玉屑　按：此药辑自吴普文"长石[1]"条，《别录》载此药。

【校注】

[1]　**长石**　《御览》卷988页5"长石"条，吴普曰："润泽，玉色。"《纲目》卷8"玉"条，注出处为《别录》上品。

3　白玉体[1]　　《御览》卷805页9

如白头公[2]。

【校注】

[1]　**白玉体**　孙本、问本、周本作"白玉杌",黄本作"白玉札",《御览》卷805页9引《本经》作"白玉醴",《御览》卷988页5引《本经》作"白玉澧",《证类》引《别录》有"白玉髓"。按:"体"之繁体为"體",与"醴""澧""髓"形近易误,疑是同物异名。

[2]　**白头公**　《事类赋》引吴普文作"白首翁"。

4　丹砂　　《御览》卷985页4

神农:甘。黄帝、岐伯[1]:苦,有毒。扁鹊:苦。李氏[2]:大寒。或生武陵。采无时。能化朱成水银。畏磁石,恶咸水[3]。

【校注】

[1]　**黄帝、岐伯**　黄本同,孙本、问本、周本无"岐伯",《纲目》引吴普文无"黄帝"。

[2]　**李氏**　《纲目》引吴普文作"李当之"。

[3]　**畏磁石,恶咸水**　从本作"恶磁石,畏咸水"。《证类》"丹砂"条引"七情畏恶"同从本。

5　水银　　按:此药名辑自吴普文"丹砂[1]"条,《本经》载此药。

【校注】

[1]　**丹砂**　《御览》卷985页4"丹砂"条,吴普曰:"能化朱成水银"。

6　空青　　《御览》卷988页4

神农:甘。一经:酸。久服有神仙玉女来侍[1],使人志高。

【校注】

[1]　**侍**　学本、从本、孙本、问本、周本、黄本作"时"。

7　白青[1]　　《御览》卷988页4

神农:甘,平。雷公:咸[2],无毒。生豫章。可消为铜。

【校注】

[1] **白青** 原脱，据《御览》目录补。

[2] **咸** 孙本、黄本引吴普文作"酸"。

8 扁青 《御览》卷988页5

神农、雷公：小寒，无毒。生蜀郡。明目，治痛肿[1]、风痹、丈夫内绝，令人有子。久服轻身[2]。

【校注】

[1] **明目，治痛肿** 原本作"治明目痛肿"，明抄本同，据学本、鲍本、从本改。按："明目"是指"药物功能"，非病名，不宜用"治"字。其后"痛肿"是病名，可用"治"字，则"治"当移"明目"之后。又，"痛肿"，孙本、黄本作"痛脾"。

[2] **明目，治痛肿……久服轻身** 本条中"明目，治痛肿、风痹""久服轻身"，《证类》"扁青"条内已有此等文，故《证类》引吴普文不再重复转录。

9 石胆 《御览》卷987页4

一名黑石，一名铜勒[1]。神农：酸，小寒。李氏：大寒。桐君：辛，有毒。扁鹊：苦，无毒。生羌道或句青山。二月庚子、辛丑采。

【校注】

[1] **勒** 明抄本作"勤"。

10 云母 按：此药辑自吴普文"凝水石[1]"条，《本经》载此药。

【校注】

[1] **凝水石** 《御览》卷987页5"凝水石"条，吴普曰："如云母也"。

11 朴消石[1] 《御览》卷988页2

神农、岐伯、雷公：无毒。生益州或山阴。入土[2]千岁不变，炼之不成不可服。

【校注】

[1] **朴消石** 《证类》引《本经》作"朴消"，引《别录》作"消石朴"。

[2] **土** 《证类》引《别录》作"地"。

12 消石 《御览》卷988页2

神农：苦。扁鹊：甘[1]。

【校注】

[1] **扁鹊：甘** 明抄本无。

13 矾石 《御览》卷988页4

一名羽砠[1]，一名羽泽。神农、岐伯：酸。扁鹊：咸。雷公：酸，无毒。生河西或陇西，或武都、石门。采无时。岐伯[2]：久服伤人骨[3]。

【校注】

[1] **羽砠** 孙本、问本、周本、黄本作"羽硆"。《证类》引《本经》亦作"羽硆"。疑"砠"为"硆"之形近讹误。

[2] **岐伯** 《纲目》引吴普文无。

[3] **久服伤人骨** 《纲目》引吴普文在上文"岐伯：酸"之后。

14 紫石英 《御览》卷987页2

神农、扁鹊：甘，气平[1]。季氏：大寒[2]。雷公：大温[3]。岐伯：甘[4]，无毒。生太山或会稽。采无时，欲令如削，紫色达[5]头，如樗蒲者。

【校注】

[1] **甘，气平** 孙本、问本、周本、黄本、《证类》引吴普文作"味甘，平"。

[2] **大寒** 原本作"太寒"，据《证类》引吴普文改。

[3] **大温** 原本作"太温"，据《证类》引吴普文改。

[4] **甘** 明抄本无。

[5] **达** 原本无，据孙本、黄本、《证类》《本草图经》引普文补。

15 白石英 《御览》卷987页2

神农：甘。岐伯、黄帝、雷公、扁鹊：无毒。生太山。形如紫石英白泽，长者二三寸。采无时。久服通日月光[1]。

【校注】

[1] **久服通日月光** 《证类》引吴普文无。因《证类》"白石英"条已有此文，故不再重复转录。

16 青石英[1] 《证类》卷3页92

如白石英，青端赤后者是。

【校注】

[1] **青石英** 此条，《御览》原作《本经》文，明抄本同，据《御览》他校本及《证类》引吴普文改。

17 赤石英[1] 《证类》卷3页92

赤端白后者是[2]，赤泽有光。味苦。补心气。

【校注】

[1] **赤石英** 此条，《御览》原引作《本经》文，明抄本同，据《御览》他校本及《证类》引吴普文改。

[2] **赤端白后者是** 《御览》引《本经》文残损，作"形赤端故"，据改同上。

18 黄石英[1] 《证类》卷3页92

黄色如金，在端者是[2]。

【校注】

[1] **黄石英** 此条，《御览》原引作《本经》文，明抄本同，据《御览》他校本及《证类》引吴普文改。

[2] **在端者是** 学本、鲍本、从本作"赤端者是"。

19 黑石英[1] 《证类》卷3页92

黑泽有光。

【校注】

[1] **黑石英** 此条,《御览》原引作《本经》文,明抄本同,据《御览》他校本及《证类》引吴普文改。

20 五石脂[1] 《御览》卷987页5

一名青、赤、黄、白、黑符[2]。青符[3],神农:甘。雷公:酸,无毒。桐君:辛,无毒。季氏:小寒[4]。生南山[5]或海涯。采无时。

【校注】

[1] **五石脂** 《证类》引吴普文及《证类》《纲目》引《本经》作:"五色石脂"。

[2] **一名青、赤、黄、白、黑符** 《纲目》引吴普文作"一名五色符"。

[3] **青符** 原本缺,据《证类》《纲目》引吴普文补。又,《证类》《纲目》引《别录》作"青石脂"。

[4] **季氏:小寒** 《证类》引吴普文同,《纲目》引吴普文作"李当之大寒"。

[5] **南山** 《证类》引《别录》作"齐区山"。

21 赤符[1] 《御览》卷987页5

神农、雷公:甘。黄帝、扁鹊:无毒。季氏[2]:小寒。或生少室,或生太山。色绛,滑如脂。

【校注】

[1] **赤符** 《证类》引吴普文同,《证类》《纲目》引《别录》作"赤石脂"。

[2] **季氏** 《证类》引吴普文同,《纲目》引吴普文作"李当之"。

22 黄符[1] 《御览》卷987页5

季氏[2]:小寒。雷公:苦。或生嵩山。色如独[3]脑、雁雏。采无时。

【校注】

[1] **黄符** 《证类》引吴普文同,《证类》《纲目》引《别录》文作"黄石脂"。

[2] **季氏** 《证类》引吴普文同,《纲目》引吴普文作"李当之"。

[3] **独** 原本作"豚",据孙本、问本、周本、黄本改。

23　白符[1]　　《御览》卷987页5

一名随[2]。岐伯、雷公：酸，无毒。季氏[3]：小寒。桐君：甘，无毒。扁鹊：辛。或生少室、天娄山，或太山。

【校注】

[1]　**白符**　《证类》引吴普文同，《证类》《纲目》引《别录》作"白石脂"。

[2]　**一名随**　《证类》引吴普文同，孙本、问本、周本、黄本作"一名随髓"。

[3]　**季氏**　《证类》引吴普文同，《纲目》引吴普文作"李当之"。

24　黑符[1]　　《御览》卷987页5

一名石泥[2]。桐君：甘，无毒。生洛西山空地。

【校注】

[1]　**黑符**　《证类》引吴普文同，《证类》《纲目》引《别录》作"黑石脂"。

[2]　**一名石泥**　《证类》引吴普文同，《御览》其他校本引吴普文及《证类》引《别录》俱作"石涅"。

25　太一禹餘粮[1]　　《御览》卷988页2

一名禹哀。神农、岐伯、雷公：甘，平。季氏[2]：小寒。扁鹊：甘[3]，无毒。生太山。上有甲，甲中有白，白中有黄，如鸡子黄色。九月采，或无时。

【校注】

[1]　**太一禹□粮**　《证类》《纲目》引《本经》作"太一餘粮"。

[2]　**季氏**　《证类》引吴普文同，《纲目》引吴普文作"李当之"。

[3]　**甘**　明抄本无。

二、玉石中品

26　金屑　按：此药辑自吴普文"流黄[1]"条，《别录》载此药。

【校注】

[1] **流黄**　《御览》卷987页3"流黄"条，吴普曰："能化金、银、铜、铁"。《纲目》卷8有"金"条，注出处为《别录》中品。

27　银屑　按：此药辑自吴普文"流黄[1]"条，《别录》载此药。

【校注】

[1] **流黄**　《御览》卷987页3"流黄"条，吴普曰："能化金、银、铜、铁"。《纲目》卷8有"银"条，注出处为《别录》中品。

28　雄黄　《御览》卷988页2

神农：苦。山阴有丹[1]，雄黄生山之阳，故曰雄[2]，是丹之雄，所以名雄黄也。

【校注】

[1] **丹**　明抄本无。

[2] **雄**　明抄本无。

29　钟乳[1]　《御览》卷987页6

一名虚中[2]，一名夏[3]。神农：辛。桐君、黄帝、医和：甘。扁鹊：甘，无毒[4]。季氏：大寒[5]，或生太山山谷[6]阴处，岸下聚溜汁所成[7]，如乳汁，黄白色，空中相通。二月、三月采。阴干。

【校注】

[1] **钟乳**　《证类》《纲目》引《本经》作"石钟乳"。

[2] **虚中**　原本无，据《御览》他校本及《证类》《纲目》引吴普文补。

[3] **一名夏**　原本无，据明抄本补。

[4] **神农：辛……甘，无毒**　原本无，据《御览》他校本及《证类》《纲目》引吴普文补。

[5] **大寒**　明抄本、鲍本、从本作"大毒"。

[6] **或生太山山谷**　《证类》引吴普文作"生山谷"。

[7] **聚溜汁所成**　孙本、问本、周本、《证类》引吴普文作"溜汁成"，《纲目》引吴普文作"溜汁所成"，刘衡如校点《纲目》改为"溜汁所成"。

30 孔公蘗[1] 　《御览》卷 **987** 页 **7**

神农：辛。岐伯：咸。扁鹊：咸[2]，无毒。色青黄。

【校注】

[1] **蘗** 《证类》《纲目》引《本经》文作"蘖"。

[2] **咸** 学本、从本、孙本、黄本、《证类》《纲目》引吴普文作"酸"。

31 流黄[1] 　《御览》卷 **987** 页 **3**

一名石流黄[2]。神农、黄帝、雷公：咸，有毒。医和、扁鹊：苦[3]，无毒。或生易阳，或河西。或五色黄，是潘水石液也[4]，烧令有紫炎者[5]。八月、九月采。治妇人[6]结阴[7]，能化[8]金银铜铁。

【校注】

[1] **流黄** 《证类》引《本经》作"石硫黄"。

[2] **石流黄** 《证类》引吴普文作"石留黄"。

[3] **苦** 原本无，《御览》他校本同，据《证类》《纲目》引吴普文补。

[4] **石液也** 焦本作"石溢液也"。

[5] **烧令有紫炎者** "令"，《纲目》引吴普文作"金"。"炎"，《证类》引吴普文作"焰"。按："炎"通"焰"。

[6] **人** 原本脱，据《证类》《纲目》引吴普文补。

[7] **结阴** 孙本、黄本、《证类》《纲目》作"血结"，焦本作"绝结"，《汇言》引吴普文作"虫疥"。

[8] **化** 孙本、问本、周本、黄本、《纲目》作"合"。

32 磁石[1] 　《御览》卷 **988** 页 **3**

一名磁君。

【校注】

[1] **磁石** 《证类》《纲目》引作《本经》药。

33 凝水石 　《御览》卷 **987** 页 **5**

一名白水石[1]，一名六石[2]，一名寒水石。神农：辛。岐伯、医和[3]、扁鹊：甘，无毒。季氏：大寒。或生邯郸。采无时。如云母色[4]。

【校注】

[1] **一名白水石** 鲍本、从本、焦本作"一名水石"。

[2] **一名六石** 原本无，据明抄本补。

[3] **医和** 其后，原本有"甘无毒"，据《证类》《纲目》引吴普文删。又按：下文有"甘无毒"，此处不应重出。

[4] **色** 原本作"也"，据《证类》引吴普文改。又，《证类》引《别录》文有"色如云母"，可证"也"为"色"之误。

34 阳起石[1] 《御览》卷987页5

神农、扁鹊：酸，无毒。桐君、雷公、岐伯：咸[2]，无毒。季氏：小寒。或生太山，或阳起山。采无时。

【校注】

[1] **阳起石** 《御览》注云："或作羊字"。又，《证类》《纲目》引作《本经》药。

[2] **咸** 原本脱。据《证类》《纲目》、孙本、黄本引吴普文补。

35 理石 按此药辑自吴普文"龙角[1]"条。《本经》载此药。

【校注】

[1] **龙角** 《御览》卷988页7"龙角"条，吴普云："龙角畏理石"。

36 长石 《御览》卷988页5

一名方石，一名土石[1]，一名直石。生长子山[2]，理如马齿[3]，润泽，玉色。长服不饥。

【校注】

[1] **一名土石** 原本无，据鲍本、从本补。

[2] **山** 孙本、问本、周本、黄本、焦本作"山谷"。

[3] **理如马齿** 孙本、问本、周本、黄本、焦本作"如马齿"。

37　铁　按：此药辑自吴普文"流黄[1]"条，《本经》载此药。

【校注】

[1] **流黄**　《御览》卷987页3"流黄"条，吴普曰："能化金、银、铜、铁"。《证类》卷4引《本经》有"铁"条。

三、玉石下品

38　白礜石[1]　　《御览》卷987页7

一名鼠乡[2]，一名太白[3]，一名泽乳，一名食盐[4]。神农、岐伯：辛，有毒。桐君：有毒。黄帝：甘，有毒。季氏：大寒。主温热。生汉中[5]，或生魏兴，或生少室。十二月采。

【校注】

[1] **白礜石**　本条，《证类》以《本经》"礜石"为正名，以《别录》"白礜石"为异名。

[2] **鼠乡**　原本作"鼠卿"，《御览》各校本同，据《证类》《纲目》、孙本、黄本、焦本引吴普文改。

[3] **太白**　《证类》《纲目》引《别录》作"太白石"。

[4] **食盐**　《纲目》引《别录》作"石盐"。

[5] **生汉中**　《证类》引吴普文无，引《别录》文作"生汉中山谷"。

39　卤咸　《纲目》卷11

一名[1]卤盐，一名寒石。

【校注】

[1] **一名**　原本无，据本书体例补，下同。

40　戎盐　《北堂书钞》卷146页2

无毒。李氏曰：大寒。生邯郸、西羌[1]、戎胡山[2]。

【校注】

［1］**西羌**　《证类》引《别录》作"西羌北地"。

［2］**戎胡山**　《证类》引《别录》作"胡盐山"。

41　白垩　《一切经音义》百卷本卷**59**、**67**，**25**卷本卷**14**、**17**

一名白墡[1]，一名白墠[2]。

【校注】

［1］**白墡**　百卷本《一切经音义》卷59白墠条："案《吴普本草》云：'白垩，一名白墡'"。25卷本《一切经音义》卷14同。

［2］**白墠**　百卷本《一切经音义》卷67白墡条："案《吴普本草》云：'白垩，一名白墠'"。25卷本《一切经音义》卷17同。但孙本、问本、周本、黄本不取"一名白墠"为本条异名。

42　石流赤[1]　《纲目》卷**11**

生羌道山谷。

【校注】

［1］**石流赤**　《证类》"有名未用类"引作《别录》药。

草木上品卷第二

43　紫芝　　《御览》卷986页6

一名木芝[1]。

【校注】

[1] **木芝**　明抄本、学本作"本芝"。

44　萱草　　《纲目》卷16

一名妓女[1]。

【校注】

[1] **一名妓女**　《纲目》引吴普文无"一名"2字，据本书体例补。

45　鬼督邮[1]　　《御览》卷991页8

一名神草，一名阎狗。或生太山，或少室。茎如[2]箭，赤，无叶，根如芋子。三月、四月、八月采根，日干[3]。治痈肿[4]。

【校注】

［1］**鬼督邮** 本条，《证类》《纲目》引《本经》，以赤箭为正名，以鬼督邮为异名。

［2］**如** 孙本无。

［3］**日干** 原本作"用干"，据明抄本、鲍本、从本、孙本、焦本改。《证类》引《别录》作"暴干"。

［4］**治痈肿** 《证类》引《别录》作"消痈肿"。

46　龙眼　《要术》卷10页250

一名益智[1]，一名比目，一名龙目[2]。

【校注】

［1］**一名益智** 《御览》各校本、《纲目》、焦本无此异名。

［2］**一名龙目** 《要术》无，据《纲目》引文补。

47　猪苓[1]　《御览》卷989页4

神农：甘。雷公：苦，无毒。如茯苓。或生冤句。八月采[2]。

【校注】

［1］**猪苓** 原通假为"豬零"，据通行字改。

［2］**八月采** 《证类》引作《别录》文。

48　茯苓　《御览》卷989页3

通神。桐君：甘。雷公、扁鹊：甘，无毒。或生益州[1]大松根下，入地三尺一丈[2]。二月、七月采[3]。

【校注】

［1］**益州** 孙本、问本、周本、黄本作"茂州"，焦本作"华州"。

［2］**三尺一丈** 鲍本、从本、孙本、问本、周本、黄本作"三丈一尺"。

［3］**七月采** 《证类》引《别录》作"八月采"。

49　琥珀　按：此药辑自吴普文"丹鸡卵[1]"条，《别录》载此药。

【校注】

[1] **丹鸡卵** 《御览》卷928页7"丹鸡卵"条，吴普曰："可作虎珀"。

50 松根 按：此药辑自吴普文"茯苓[1]"条，《别录》载此药。

【校注】

[1] **茯苓** 《御览》卷989页3"茯苓"，吴普曰："生益州大松根下"。《证类》"松脂"及《纲目》"松"条俱引有《别录》文"松根"，其白皮主辟谷不饥。

51 麦门冬[1] 《御览》卷989页2

一名羊韭[2]。秦，一名乌韭。楚，一名马韭[3]。越，一名羊韭。齐，一名爱韭[4]，一名禹韭，一名釁火冬[5]，一名忍冬，一名忍陵，一名不死药[6]，一名禹餘粮，一名仆垒，一名随脂。神农、岐伯：甘，平。黄帝、桐君、雷公：甘，无毒。季氏：甘，小温。扁鹊：无毒。生山谷肥地。叶如韭，肥泽丛生。采无时。实青黄[7]。

【校注】

[1] **麦门冬** "麦"，原作"麦"，据通行字改。

[2] **一名羊韭** 《证类》《纲目》引《别录》作"秦名羊韭"。

[3] **秦，一名乌韭。楚，一名马韭** 孙本、黄本作"秦，一名马韭"。

[4] **越，一名羊韭。齐，一名爱韭** 原本作"越一名羊荠，一名爱韭"，据学本、鲍本、从本改。

[5] **釁火冬** 明抄本、学本、《证类》引吴普文同，鲍本、从本、孙本、黄本作"釁冬"，焦本作"釁韭"。

[6] **不死药** 《纲目》引吴普文作"不死草"，《广群芳谱》卷96作"阶前草"。

[7] **叶如韭，肥泽丛生。采无时。实青黄** 《纲目》引吴普文作"丛生，叶如韭，青黄，采无时"。

52 术 《艺文》卷81

一名山连，一名山芥，一名天苏[1]，一名山姜。

【校注】

[1] **天苏** 孙本、问本、周本、黄本、《图考》《渊鉴类函》《广雅疏证》《证类》引吴普文同，《纲目》引吴普文作"天蓟"。按："苏"繁体为"蘇"，与"蓟"形近而误。

53　委萎[1]　　《御览》卷991页7

一名葳蕤，一名王马[2]，一名节地，一名虫蝉，一名乌萎[3]，一名荧[4]，一名玉竹。神农：苦。一经：甘。桐君、雷公、扁鹊：甘，无毒。黄帝：辛。生太山山谷。叶青黄，相值如姜[5]。二月、七月采。治中风、暴热。久服轻身[6]。

【校注】

[1]　**委萎**　孙本、黄本、《证类》引《本经》作"女萎"，《纲目》引《本经》作"萎蕤"，并以"女萎"为异名。

[2]　**王马**　明抄本作"正马"，孙本、黄本作"玉马"。

[3]　**乌萎**　《广群芳谱》作"乌女"。

[4]　**一名荧**　明抄本作"一名焚"，焦本作"一名营"。

[5]　**叶青黄，相值如姜**　《纲目》引吴普文作"叶青黄色，相值如姜叶"。

[6]　**久服轻身**　此句后，孙本、问本、周本、黄本又补引《御览》"一名左眄，久服轻身耐老"。

54　菖蒲　　《艺文》卷81、《御览》卷999页6

一名尧韭[1]，一名尧时薤[2]，一名昌阳[3]。

【校注】

[1]　**尧韭**　《证类》《纲目》《渊鉴类函》《编珠续编》、孙本引吴普文同，黄本作"尧时韭"。

[2]　**尧时薤**　《艺文》无，据《御览》、学本、鲍本、从本、焦本补。又明抄本作"尧时蕴"。

[3]　**昌阳**　《艺文》《渊鉴类函》《广雅疏证》引吴普文同，其他各校本均无。

55　署豫[1]　　《御览》卷989页8

一名诸署[2]。秦、楚名玉延[3]。齐、越名山羊[4]。郑、赵名山羊[5]。一名玉延，一名修脆，一名儿草。神农：甘，小温。桐君、雷公：甘[6]，无毒。或生临朐、钟山[7]。始生赤茎细蔓，五月华白[8]，七月实青黄[9]，八月熟落。根中白皮黄[10]，类芋。二月、三月、八月采根。恶甘遂[11]。

【校注】

[1]　**署豫**　《证类》引吴普文作"署预"。《纲目》引吴普文作"薯蓣"。

[2]　**诸署**　《证类》引吴普文同，《纲目》引吴普文作"藷薯"。

［3］**秦、楚名玉延**　《纲目》引吴普文同，《证类》引吴普文无。

［4］**齐、越名山羊**　《证类》引吴普文同，孙本、黄本作"齐、越名山芋"，《纲目》引吴普文作"齐、鲁名山芋"。

［5］**郑、赵名山羊**　《证类》引吴普文无，孙本作"郑、赵名山芋"，鲍本、从本作"郑、赵名藷羊"，《纲目》引吴普文作"郑、越名土藷"。

［6］**雷公：甘**　鲍本、从本作"雷公：苦"，《纲目》引吴普文作"雷公：甘，凉"。

［7］**钟山**　原本作"踵山"，据《证类》《纲目》引吴普文改。

［8］**五月华白**　《纲目》引吴普文作"五月开白花"。

［9］**实青黄**　《纲目》引吴普文作"结实青黄"。

［10］**根中白皮黄**　《纲目》引吴普文作"其根内白外黄"。

［11］**二月、三月、八月采根。恶甘遂**　《证类》《纲目》引吴普文无。孙本脱"三月"2字。

56　菊华[1]　　《初学记》卷27、《御览》卷996页2

一名白花，一名女华，一名女室[2]。

【校注】

［1］**菊华**　《证类》引《本经》作"菊花"，《纲目》引《本经》作"菊"。

［2］**一名白花，一名女华，一名女室**　《初学记》仅引有前者，而无后二名，《渊鉴类函》同；《御览》仅引有后二者，而无前一名，《记纂渊海》同。又，后二名《证类》《纲目》引作《别录》文。其中，"一名女室"，孙本、问本、周本、黄本作"一名女茎"。

57　甘草　按：此药辑自吴普文"侧子[1]"条，《本经》载此药。

【校注】

［1］**侧子**　《御览》卷990页3"侧子"条，吴普曰："畏恶与附子同"。《证类》"附子"条畏恶文中有"甘草"。

58　人参　　《御览》卷991页2

一名土精，一名神草，一名黄参，一名血参，一名人微[1]，一名玉精。神农：甘[2]，小寒。桐君、雷公：苦。岐伯、黄帝：甘，无毒。扁鹊：有毒[3]。或生邯郸[4]。三月生，叶小兑[5]，核黑[6]，茎有毛。三月、九月采根。根有头、足、手，面目如人[7]。

【校注】

[1] **人微** 原本作"久微"，黄本同，据孙本、问本、周本改。又，《证类》引《别录》亦作"人微"。

[2] **神农：甘** 《纲目》引吴普文无"甘"字。

[3] **扁鹊：有毒** 《纲目》引吴普文无。

[4] **或生邯郸** 《纲目》《广群芳谱》引吴普文同，《证类》引《别录》作"生上党及辽东"。

[5] **叶小兑** 《纲目》引吴普文作"叶小锐"。

[6] **楂黑** 明抄本、学本、孙本、问本、周本同，鲍本、从本、黄本、《纲目》引吴普文作"枝黑"。

[7] **根有头、足、手，面目如人** 《纲目》引吴普文作"根有手足面目如人者神"。

59 石斛 《御览》卷992页5

神农：甘，平。扁鹊：酸。季氏[1]：寒。

【校注】

[1] **季氏** 《纲目》引吴普文作"李当之"。

60 石龙芮[1] 《御览》卷992页9、993页5

一名水姜苔，一名姜苔，一名天豆。神农：苦，平。岐伯：酸。扁鹊、李氏[2]：大寒。雷公：咸，无毒。<u>五月五日采</u>。

【校注】

[1] **石龙芮** 此条，《御览》分两处，卷992仅有："石龙芮，一名水姜苔。"余文见卷993"地椹"条。《证类》未见引。时珍有按云："《吴普本草》石龙芮一名水堇，其说甚明。"

[2] **李氏** 《纲目》引吴普文无。

61 龙刍[1] 《御览》卷989页8

一名龙多，一名龙鬓[2]，一名续断[3]，一名龙木[4]，<u>一名草毒</u>，<u>一名龙华</u>，一名悬莞[5]。神农、季氏：小寒。雷公、黄帝：苦，无毒。扁鹊：辛，无毒。<u>生梁州</u>。七月七日采[6]。

【校注】

[1] **龙刍** 《证类》《纲目》引《本经》作"石龙刍"。又，本条，《御览》列在："续断"条

中，《纲目》亦将本条中性味、产地、采收等吴普文引入"续断"条内。

[2] **龙翼** 学本、鲍本、从本、孙本、黄本作"龙须"。

[3] **续断** 《证类》《纲目》"石龙刍"条引《本经》作"草续断"。

[4] **龙木** 学本、鲍本、从本、孙本、黄本作"龙本"。

[5] **悬莞** 鲍本、从本、孙本、黄本、焦本作"悬莞"。

[6] **神农……七月七日采** 以上26字吴普文，《纲目》引入"续断"条中，没有列在"石龙刍"条内。

62 落石[1] 《御览》卷993页4

一名鳞石[2]，一名明石，一名县石[3]，一名云华，一名云珠，一名云英，一名云丹。神农：苦[4]，小温。雷公：苦，无毒。扁鹊、桐君：甘，无毒。季氏：大寒。云：药中君[5]。采无时。

【校注】

[1] **落石** 《证类》《纲目》引《本经》作"络石"。《唐本草》注云："以其包络石木而生，故名络石"。

[2] **鳞石** 鲍本、从本作"鲮石"，《证类》《纲目》引《本经》作"石鲮"。

[3] **县石** 《证类》《纲目》引《别录》作"悬石"。

[4] **苦** 《纲目》引吴普文作"苦平"。

[5] **季氏：大寒。云：药中君** 《纲目》引吴普文作"李当之大寒，药中君也。"

63 龙胆 按：此药名辑自吴普文"大豆黄卷[1]"条。《本经》载此药。

【校注】

[1] **大豆黄卷** 《御览》卷841页6"大豆黄卷"条，吴普曰："不欲海藻、龙胆。"

64 牛膝[1] 《御览》卷992页6

神农：甘。一经：酸。黄帝、扁鹊：甘。季氏[2]：温。雷公：酸，无毒。生河内或临邛[3]。叶如蓝[4]，茎本赤。二月、八月采。

【校注】

[1] **膝** 原作"脥"，据通行字改。

[2] **季氏** 《广雅疏证》同，孙本、问本、周本、黄本作"李氏"，《纲目》引吴普文作"李当

之"。

[3] **临邛** 《证类》《纲目》引《别录》作"临朐"。

[4] **叶如蓝** 《纲目》引吴普文作"叶如夏蓝"。

65 卷柏 《御览》卷989页4

一名豹足，一名求股，一名万岁，一名神投时[1]。神农：辛，平[2]。桐君、雷公：甘[3]。生山[4]谷。

【校注】

[1] **神投时** 明抄本作"投时"，孙本、问本、周本、黄本作"神枝时"。

[2] **辛，平** "辛"，原本缺，据明抄本、孙本、黄本、焦本、《证类》《纲目》引吴普文补。"平"字，明抄本、孙本、黄本无。

[3] **甘** 其后，《纲目》引吴普文有"微寒"2字。

[4] **山** 原本脱，据《御览》其他校本补。

66 杜仲 《御览》卷991页5

一名木绵，一名思仲。

67 干漆 按：此药名辑自吴普文 "龙角[1]" 条，《本经》 载此药。

【校注】

[1] **龙角** 《御览》卷988页7"龙角"条，吴普曰："龙角畏干漆"。

68 细辛 《御览》卷989页7

一名小辛，一名细草[1]。神农、黄帝、雷公、桐君：辛[2]，小温。岐伯：无毒。季氏[3]：小寒。如葵叶赤色[4]，一根一叶相连。二月、八月采根。

【校注】

[1] **细草** 原本作"细辛"，据孙本、黄本、焦本、《证类》引吴普文改。

[2] **桐君：辛** "桐"，原本作"相"，据《证类》《纲目》引吴普文改。"辛"字，《纲目》引吴普文无。

[3] **季氏** 《纲目》引吴普文作"李当之"。

[4] **如葵叶赤色**　《证类》《广雅疏证》引吴普文作"如葵叶赤黑"，孙本、问本、黄本、周本作"如葵叶色赤黑"，《纲目》引吴普文作"如葵赤黑"。

69　桂　《要术》卷10

一名□□[1]，止唾。

【校注】

[1] **一名□□**　《证类》"桂"条无。

70　蘋　《纲目》卷19

暴热，下水气，利小便。

71　独活　《御览》卷992页7

一名胡王使者。神农、黄帝：苦，无毒。八月采。此药有风华不动，无风独摇[1]。

【校注】

[1] **独摇**　焦本作"华独摇"。

72　茈胡[1]　《御览》卷993页5

一名山来[2]，一名如草[3]。神农、岐伯、雷公：苦，无毒。生冤句。二月、八月采根。

【校注】

[1] **茈胡**　《证类》《纲目》引《本经》同。《唐本草》注云："茈是古柴字。"时珍曰："茈有柴、紫二音，茈胡之茈音柴。"

[2] **一名山来**　"来"疑"菜"讹。《证类》《纲目》引吴普文作"一名山菜"。

[3] **一名如草**　《证类》《纲目》引吴普文作"一名茹草"。时珍曰："茈胡生山中，嫩则可茹，老则采而为柴。"

73　房葵[1]　《御览》卷993页4

一名梁盖[2]，一名爵离，一名房苑[3]，一名晨草[4]，一名利如[5]，一名方盖。神农：辛，小寒[6]。桐君、扁鹊：无毒。岐伯、雷公、黄帝：苦[7]，无毒。茎叶如葵，上黑黄。二月生根，根大如桔梗，根中红白，六月花白[8]，七月、八月实白。三月三日[9]采根。

【校注】

[1] **房葵**　《证类》《纲目》引《本经》作"防葵"。

[2] **梁盖**　《证类》《纲目》引《本经》有"梨盖"而无"梁盖"。

[3] **房苑**　《纲目》引作《别录》文，刘衡如校点《纲目》改为吴普文。《证类》引《别录》有"房慈"而无"房苑"。

[4] **晨草**　明抄本作"是草"，《纲目》《广群芳谱》引吴普文作"农果"。《证类》引《别录》有"农果"而无"晨草"。疑为形近讹误。

[5] **利如**　《证类》《纲目》引《别录》作"利茹"。

[6] **小寒**　《纲目》引吴普文无"小"字。

[7] **苦**　其前，《纲目》引吴普文有"辛"字。

[8] **花白**　焦本无"白"字。

[9] **三日**　明抄本、《纲目》引吴普文无。

74　谷木皮[1]　　《御览》卷960页3

治喉闭、痹[2]。一名楮。

【校注】

[1] **谷木皮**　明抄本、鲍本、从本作"谷树皮"。陶弘景谓"楮即今谷树"。《证类》《纲目》引《别录》均以"楮"为正名。

[2] **治喉闭、痹**　《纲目》"楮树白皮"引吴普文作"主治喉痹"。

75　酸枣　　按：此药辑自吴普文"山茱萸[1]"条。《本经》载此药。

【校注】

[1] **山茱萸**　《御览》卷991页4"山茱萸"条，吴普曰："如酸枣赤"。

76　枸杞　　《御览》卷980页8

一名杞芭[1]，一名羊乳。

【校注】

[1] **杞芭** 明抄本作"枸芭",学本作"杞芭",鲍本、从本、黄本作"枸芭",孙本、问本、周本作"枸巴",焦本作"枸邑"。

77 奄闾[1] 《御览》卷991页6

神农、雷公、桐君、岐伯:苦,小温,无毒。季氏[2]:温。或生上党。叶青厚,两两相当[3]。七月花白,九月实黑。七月、九月、十月采。驴马食仙去[4]。

【校注】

[1] **奄闾** 《证类》引《本经》作"菴䕡子",《纲目》引《本经》作"庵䕡"。

[2] **季氏** 《纲目》引吴普文作"李当之"。

[3] **两两相当** 孙本、问本、周本、黄本、焦本作"两相当"。

[4] **驴马食仙去** 《证类》引《别录》作"驱蓿食之神仙"。

78 蛇床[1] 《御览》卷992页9

一名蛇珠。

【校注】

[1] **蛇床** 《证类》《纲目》引《本经》作"蛇床子"。蛇,原作"虵",据通行字改。

79 菟丝实[1] 《御览》卷993页6

一名玉女[2],一名松萝,一名鸟萝,一名鸮萝[3],一名複实,一名赤纲。生山谷。

【校注】

[1] **菟丝实** 黄本同,孙本、问本、周本作"菟丝",《证类》《纲目》引《本经》作"菟丝子"。

[2] **玉女** 《纲目》引为《尔雅》文。

[3] **鸮萝** 孙本、问本、周本、黄本作"鸭萝"。

80 菥蓂 《御览》卷980页4

一名折目[1],一名荣冥[2],一名马驹[3]。雷公、神农、扁鹊:辛。季氏:小温。<u>四月采，干二十日</u>。<u>生道旁</u>。<u>得细辛良，恶干姜、苦参</u>[4]。

【校注】

[1] **折目** 孙本、问本、周本、黄本、焦本、《纲目》引吴普文作"析目"。

[2] **荣冥** 孙本、问本、周本、黄本同，焦本作"荣具"，《纲目》引吴普文作"荣目"。

[3] **马驹** 《纲目》引吴普文同，孙本作"马骒"，黄本作"马骒"。

[4] **得细辛良，恶干姜、苦参** "得""良""恶"，《御览》各校本均脱，据《证类》"菥蓂"条引"畏恶"文补。

81 莕实[1] 《御览》卷980页4

神农：甘，无毒[2]。生野田[3]。五月五日采[4]，阴干。治腹胀。

【校注】

[1] **莕实** 本条，原本续在"菥蓂"后，今分。《纲目》引吴普文作"茎实"。

[2] **甘，无毒** 《御览》其他校本作"甘，毒"，焦本作"有毒"，孙本、问本、周本、黄本作"无毒"。

[3] **生野田** 《纲目》《汇言》引吴普文作"莕生野中"。

[4] **五月五日采** 《纲目》引吴普文作"三月三日采"。按：《物类相感志》谓三月乃收莕菜花之时，陈士良《食性本草》谓四月八日收实良。

82 青蘘[1] 《御览》卷989页6

一名蔓，一名梦神[2]。神农：苦。雷公：甘[3]。

【校注】

[1] **青蘘** 即胡麻叶。《唐本草》注云："青蘘，《本经》在草部上品中，既堪啖，今从胡麻条下。"据此，青蘘在古代本草中，是列入草部的。

[2] **一名蔓，一名梦神** 《御览》有"一名蔓"，无"一名梦神"；《证类》、孙本、黄本引吴普文有"一名梦神"，无"一名蔓"。按："梦"繁体为"夢"，与"蔓"形近易误。又，《证类》"青蘘"条未引吴普文，在"胡麻"条引吴普文，仅作"青蘘，一名梦神。"

[3] **神农：苦。雷公：甘** 学本、鲍本、焦本、孙本、黄本同，明抄本、《证类》引吴普文无。

83 升麻 《御览》卷990页6

一名周升麻[1]。神农：甘。

【校注】

[1] **一名周升麻** 原本无，据《纲目》《广群芳谱》引吴普文补。《证类》引《别录》作"一名周麻"。

84 刺蒺藜 《本草汇言》卷4

化癥。

85 肉苁蓉 《御览》卷989页8

一名肉松蓉[1]，一名黑司命[2]。神农、黄帝：咸。雷公：酸。季氏：小温。生河东[3]山阴地。长三四寸，藂生[4]。或代郡、雁门。二月至[5]八月采，阴干用之。

【校注】

[1] **肉松蓉** 原本作"肉苁蓉"，据明抄本、学本、从本、《证类》《纲目》引吴普文改。

[2] **黑司命** 原本无，据《纲目》引吴普文补。

[3] **生河东** 明抄本、孙本、黄本、《证类》《纲目》引吴普文作"生河西"。

[4] **藂生** "藂"是"丛"的异体字。《证类》《纲目》引吴普文作"丛生"。

[5] **至** 原本无，据《证类》《纲目》引吴普文补。

86 因尘[1] 《御览》卷993页8

神农、岐伯、雷公：苦，无毒。黄帝：辛，无毒。生田中。叶如蓝。十一月采。

【校注】

[1] **因尘** 《证类》引《本经》作"茵陈蒿"，《纲目》引《本经》作"茵陈蒿"。《御览》引《本草经》作"因尘蒿"。《本草拾遗》注云："因陈，虽蒿类，苗细，经冬不死，更因旧苗而生，故名因陈，后加蒿字。"

87 蓝 按：此药辑自吴普文"因尘[1]"条，《纲目》卷16载"蓝"条，注出《本经》。

【校注】

[1] **囚尘** 《御览》卷993页8"囚尘"条，吴普曰："叶如蓝"。又，《御览》卷992页6"牛膝"条引吴普文同。

88 王不留行 《御览》卷991页6

一名王不流行[1]。神农：苦，平。岐伯、雷公：甘。三月、八月采。

【校注】

[1] **王不流行** 明抄本作"不流行"，《纲目》引吴普文作"不留行"。

89 醮[1] 《御览》卷993页3

一名醮石[2]，一名香蒲。神农、雷公：甘。生南海池泽中。

【校注】

[1] **醮** 《御览》各校本及《证类》引《别录》文同，孙本、问本、周本、黄本作"睢"。又，本条，《证类》引《本经》以"香蒲"为正名，以"醮"为异名。

[2] **醮石** 《御览》各校本及《纲目》引吴普文同，孙本、问本、周本、黄本作"睢石"。

90 兰草 按：此药辑自吴普文"泽兰[1]"条，《本经》载此药。

【校注】

[1] **泽兰** 《御览》卷990页7"泽兰"条，吴普曰："叶如兰"。《西京杂记》载汉时池苑种兰以降神。《证类》《纲目》引《本经》有"兰草"。

91 蘼芜[1] 《御览》卷983页4

一名芎䕅[2]。

【校注】

[1] **蘼芜** 《证类》《纲目》引《本经》作"蘼芜"。时珍曰："蘼芜一作麋芜，其茎叶靡弱而繁芜，故以名之。"

[2] **芎䕅** 《证类》"芎䕅"条引《别录》云："芎䕅，其叶名蘼芜。"《证类》"蘼芜"条引《别录》云："蘼芜，芎䕅苗也。"

92 云实 《御览》卷992页9

一名员实，一名天豆[1]。神农：辛，小温。黄帝：咸。雷公：苦。叶如麻，两两相值，高四五尺，大茎空中[2]，六月花，八月、九月实。十月采。

【校注】

[1] **一名员实，一名天豆** 《证类》引作"别录"文。

[2] **叶如麻，两两相值，高四五尺，大茎空中** 《纲目》引吴普文作"茎高四五尺，大叶中空。叶如麻，两两相值。"

93 徐长卿[1] 《御览》卷991页6

一名石下长卿。神农、雷公：辛。或生陇西[2]。三月采。

【校注】

[1] **徐长卿** 本条以"徐长卿"为正名，以"石下长卿"为异名。《证类》卷30引《本经》一药，以"石下长卿"为正名，以"徐长卿"为异名。但《证类》卷7引《本经》另一药，以"徐长卿"为正名。不知《本经》哪一药与吴普药相合。

[2] **生陇西** 《证类》卷7引《本经》"徐长卿"，与卷30引《本经》"石下长卿"，二者产地同生陇西。疑二者或为一物，误分立为两条。

94 翘根 《御览》卷991页8

一名兰华[1]。神农、雷公：甘，有毒。李氏：苦[2]。二月、八月采。以作蒸饮酒，病人。

【校注】

[1] **一名兰华** 原本无，据《纲目》引吴普文补。

[2] **李氏：苦** 原本无，《纲目》引吴普文有"李当之：苦"，爰据补。

95 蕤核 《御览》卷992页8

一名蕤。神农、雷公：甘，无毒，平[1]。生池泽[2]。八月采。补中强中[3]，强志，明耳目[4]，久服不饥。

【校注】

[1] **平** 鲍本、从本、孙本、黄本、《纲目》引吴普文无。

[2] **生池泽** 鲍本、从本、《纲目》引吴普文作"平地"。

[3] **强中** 鲍本、从本、焦本无。

[4] **明耳目** 孙本、问本、周本、黄本作"明目"。

草木中品卷第三

96　当归　《御览》卷989页6

神农、黄帝、桐君、扁鹊：甘，无毒。岐伯、雷公：辛，无毒。季氏：小温。或生羌胡地。

97　防风　《御览》卷992页4

一名廻云[1]。一名回草，一名百枝[2]，一名蕳[3]根，一名百韭[4]，一名百韭种。神农、黄帝、岐伯、桐君、雷公、扁鹊：甘，无毒。季氏：小寒。或生邯郸、上蔡。正月生，叶细圆，青黑黄白，五月花黄[5]，六月实黑[6]。二月[7]、十月采根，日干。琅邪[8]者良。

【校注】

[1]　**廻云**　《纲目》引吴普文作"茴芸"。

[2]　**百枝**　明抄本作"廻百枝"。

[3]　**蕳**　学本、鲍本、从本作"简"，明抄本作"兰"。

[4]　**百韭**　《纲目》引吴普文作"百蜚"。

[5]　**五月花黄**　原本作"五月黄花"，《纲目》引吴普文同，据孙本、问本、周本、黄本改。

[6]　**实黑**　《纲目》引吴普文作"结实黑色"。

[7]　**二月**　孙本、问本、周本、黄本作"三月"。

［8］ **琅邪** 从本作"出琅邪"。

98 黄芪 按：此药辑自吴普文 "侧子［1］" 条，《本经》 载此药。

【校注】

［1］ **侧子** 《御览》卷990页3"侧子"条，吴普曰："畏恶与附子同"。查《证类》"附子"条有"畏黄芪"。

99 黄芩 《御览》卷992页2

一名黄文，一名妬妇，一名虹胜［1］，一名经芩，一名印头，一名内虚。神农、桐君、黄帝、雷公、扁鹊：苦，无毒。李氏：小温。二月生赤黄叶，两两四四［2］相值，茎［3］空中，或方圆，高三四尺，四月花紫红赤，五月实黑，根黄。二月至［4］九月采。

【校注】

［1］ **虹胜** 焦本作"虹滕"，《广雅疏证》作"虹肠"。

［2］ **四四** 《纲目》引吴普文作"四面"。

［3］ **茎** 《证类》《纲目》、焦本引吴普文作"其茎"。

［4］ **至** 《证类》引吴普文无。

100 黄连 《御览》卷991页5

神农、岐伯、黄帝、雷公：苦，无毒。李氏：小寒。或生蜀郡、太山［1］之阳。

【校注】

［1］ **生蜀郡、太山** 《证类》引作《别录》文。

101 五味［1］ 《御览》卷990页3

一名玄及［2］。

【校注】

［1］ **五味** 《证类》引《本经》文作"五味子"。

[2] **一名玄及** 《证类》引作《别录》文。"玄"，鲍本、从本、孙本、问本、周本、黄本、焦本俱作"元"，此等清代刻本避康熙皇帝玄烨的"玄"字讳，改"玄"为"元"。又，"及"，焦本作"皮"。

102　决明子　《御览》卷991页6

一名草决明，一名羊明。

103　芍药[1]　《御览》卷990页7

一名其积[2]，一名解仓，一名诞[3]，一名余容，一名白术[4]。神农：苦。桐君：甘，无毒。岐伯：咸。李氏：小寒[5]。雷公：酸。二月、三月生[6]。

【校注】

[1] **芍药** 《御览》引吴普文脱此正名，据《御览》目录补。

[2] **其积** 学本、鲍本、从本、孙本、黄本作"甘积"。

[3] **诞** 《集注》《证类》作"铤"。

[4] **白术** 《集注》《证类》作"白木"。

[5] **寒** 原本脱，明抄本同，据《御览》其他校本、《证类》《纲目》引吴普文补。

[6] **二月、三月生** 《证类》《纲目》引吴普文无。孙本引吴普文作"三月三日采"，《集注》《证类》引《别录》作"二月、八月采"。

104　桔梗　《御览》卷993页2

一名符蒿，一名白药，一名利如，一名梗草，一名卢茹，一名房图[1]。神农、医和：苦，无毒。扁鹊、黄帝：咸[2]。岐伯、雷公[3]：甘，无毒。季氏：大寒。叶如荠苨，茎如笔管，紫赤。二月生[4]。生嵩山山谷及冤句[5]。

【校注】

[1] **一名房图** 原本无，据《纲目》《广群芳谱》引吴普文补。

[2] **咸** 《纲目》引吴普文作"辛咸"。

[3] **雷公** 原作"雲公"，据《御览》他校本改。

[4] **紫赤。二月生** 《纲目》引吴普文作"紫赤色，二月生苗。"

[5] **生嵩山山谷及冤句** 原本及《御览》他校本俱无，据《汇言》引吴普文补。

105　芎䓖　《御览》卷990页6

一名香果。神农、黄帝、岐伯、雷公：辛，无毒，香[1]。扁鹊：酸，无毒。

季氏：生温中，熟寒[2]。或生胡无桃山阴，<u>或斜谷西岭</u>[3]，或太山。叶香、细、青黑，文赤如藁本。冬夏聚生，五月华赤，七月实黑，附[4]端两叶。三月采根[5]，根有节，似如[6]马衔状。

【校注】

[1] **香** 《御览》各校本同，其他校本无。

[2] **生温中，熟寒** 明抄本作"生温热寒"，学本作"主温中热寒"，《证类》《纲目》、孙本、黄本引吴普文作"生温熟寒"。

[3] **或斜谷西岭** 《证类》《纲目》引吴普文无。

[4] **附** 原本无，据鲍本、从本、《纲目》引吴普文补。《证类》、孙本、黄本引吴普文作"茎"。

[5] **根** 鲍本、从本、焦本、《证类》《纲目》引吴普文无。

[6] **如** 《证类》引吴普文无。

106 藁本 按：此药辑自吴普文 "芎藭[1]" 条，《本经》载此药。

【校注】

[1] **芎藭** 《御览》卷990页6"芎藭"条，吴普曰："文赤如藁本"。

107 麻黄 《御览》卷993页4

<u>一名卑相，一名卑监</u>[1]。神农、雷公：苦，无毒[2]。扁鹊：酸，无毒。季氏：平。或<u>生河东</u>。四月、<u>立秋采</u>。

【校注】

[1] **卑监** 《证类》《纲目》引《别录》作"卑盐"。

[2] **无毒** 《纲目》引吴普文无。

108 葛根 《御览》卷995页3

神农：甘，生太山[1]。

【校注】

[1] **生太山** 《证类》引《别录》作"生汶山"。

109　前胡　按：此药辑自普文 "大豆黄卷[1]" 条，《别录》载此药。

【校注】

[1] **大豆黄卷**　《御览》卷841页6 "大豆黄卷" 条，吴普曰："得前胡……共蜜和佳"。

110　知母[1]　《御览》卷990页3

一名提母[2]。神农、桐君：无毒。补不足，益气。

【校注】

[1] **知母**　《御览》各校本俱脱 "知"，据《证类》、孙本、黄本引吴普文补。

[2] **一名提母**　《证类》引吴普文无。《集注》《证类》引《本经》文有 "一名蝭母"。"蝭" 音 "提"，音假为 "提母"。

111　贝母　按：此药辑自吴普文 "乌喙[1]" 条，《本经》载此药。

【校注】

[1] **乌喙**　《御览》卷990页2 "乌喙" 条，吴普曰："所畏恶使，尽与乌头同"。《证类》"乌头" 条畏恶文中有 "贝母"。

112　栝楼　《御览》卷992页7

一名泽巨，一名泽冶[1]。

【校注】

[1] **泽冶**　《御览》其他校本作 "泽治"，孙本、问本、周本、黄本作 "泽姑"。按："泽姑"，《证类》《纲目》引作《别录》文。

113　丹参　《御览》卷991页2

一名赤参，一名木羊乳[1]，一名郄蝉草[2]。神农、桐君、黄帝、雷公、扁鹊：苦，无毒。季氏：大寒。岐伯：咸。生桐柏或生太山山陵阴。茎华[3]，小方[4]如荏有[5]毛，根赤。四月华紫，三月[6]、五月采根，阴干。治心腹痛。

【校注】

[1] **木羊乳** 焦本作"羊乳"。

[2] **郗蝉草** 孙本、问本、周本、黄本作"邵蝉草"，《证类》《纲目》引《本经》作"邵蝉草"。

[3] **茎华** 鲍本、从本、《广雅疏证》《纲目》引吴普文作"茎叶"。

[4] **小方** 《纲目》引吴普文作"小房"。

[5] **有** 原本缺，据学本、鲍本、从本、《纲目》引吴普文补。

[6] **根赤。四月华紫。三马** 《纲目》引吴普文作"根赤色，四月开紫花，二月"。又，孙本、黄本无"三月"2字。

114 厚朴 《御览》卷989 页4

一名厚皮[1]。神农、岐伯、雷公：苦，无毒。季氏：小温。生交阯[2]。

【校注】

[1] **一名厚皮** 《证类》《纲目》"厚朴"条引作《别录》文。

[2] **生交阯** 《证类》《纲目》引作《别录》文。

115 竹 按：此药辑自吴普文"狗脊[1]"条，《本经》载此药。

【校注】

[1] **狗脊** 《御览》卷990 页7"狗脊"条，吴普曰："茎节如竹"，又云："根黄白亦如竹"。

116 青竹 按：此药名辑自吴普文"玉泉[1]"条，《本经》载竹叶。

【校注】

[1] **玉泉** 《御览》卷988 页6"玉泉"条，《吴氏本草》曰："恶青竹"。

117 玄参 《御览》卷991 页3

一名鬼藏，一名正马，一名重台，一名鹿肠[1]，一名端，一名玄台。神农、桐君、黄帝、雷公、扁鹊[2]：苦，无毒。岐伯：咸。李氏[3]：寒。或生冤句山阳。二月生，叶如梅毛[4]，四四相值，以芍药[5]，黑茎，茎方[6]，高四五尺，花赤[7]生枝间，四月实黑。

【校注】

[1] **鹿肠** 明抄本作"重腹"，孙本、黄本作"鹿腹"，焦本作"鹿復"。

[2] **扁鹊** 《纲目》引吴普文无。

[3] **咸。李氏** 《纲目》引吴普文无。

[4] **二月生，叶如梅毛** 《纲目》引吴普文作"三月生苗，其叶有毛"。

[5] **以芍药** 《纲目》引吴普文作"似芍药"。"以"同"似"。

[6] **茎方** 鲍本、从本、孙本、黄本作"方"，无"茎"字。

[7] **花赤** 《纲目》引吴普文作"叶亦"。

118 白沙参[1]　　《御览》卷991页3

一名苦心，一名识美，一名虎须，一名白参，一名志取，一名文虎[2]。神农、黄帝、扁鹊：无毒。岐伯：咸。李氏：大寒。生河内川谷，或般阳渎山[3]。三月生[4]，如葵，叶青，实白如芥[5]，根大白如芜菁[6]。三月采。

【校注】

[1] **白沙参** 《证类》引《本经》作"沙参"。

[2] **一名文虎** "虎"，鲍本、从本作"希"。《证类》引《别录》文，亦作"一名文希"。

[3] **渎山** 《证类》引《别录》文作"续山"。

[4] **三月生** 《纲目》引吴普文作"二月生苗"。

[5] **叶青，实白如芥** 《纲目》引吴普文作"叶青色，根白，实如芥"。

[6] **白如芜菁** 《纲目》引吴普文作"如芜菁"。

119 苦参　　按：此辑自吴普文"菥蓂[1]"条，《本经》载此药。

【校注】

[1] **菥蓂** 《御览》卷980页4"菥蓂"条，吴普曰："恶苦参"。

120 续断[1]　　《纲目》卷15

神农、雷公、黄帝、李当之：苦，无毒。扁鹊：辛，无毒。出梁州，七月七日采。

【校注】

[1] **续断** 此条下吴普文，疑是"龙刍"条所引，《纲目》错简于此。

121　枳实　　《御览》卷992页4

神农[1]：苦。雷公：酸，无毒。季氏：大寒。九月、十月采，阴干。

【校注】

[1] **神农**　原本脱，据学本、鲍本、从本、《纲目》引吴普文补。又孙本、问本、周本、黄本亦无"神农"2字。

122　山茱萸　　《御览》卷991页4

一名魆实[1]，一名鼠矢，一名鸡足。神农、黄帝、雷公、扁鹊：酸，无毒。岐伯：辛。一经：酸。或生冤句、琅邪，或东海、承县。叶如梅，有刺毛。二月华，如杏。四月实，如酸枣赤。五月采实[2]。

【校注】

[1] **魆实**　明抄本同，学本、鲍本、从本作"魆实"。《证类》引《别录》文作"魆实"。
[2] **五月采实**　《证类》引《别录》文作"九月、十月采实"。

123　狗脊　　《御览》卷990页7

一名狗青，一名草薜[1]，一名赤节[2]，一名强膂[3]。神农：苦。桐君、黄帝、岐伯、雷公、扁鹊：甘，无毒。季氏：温[4]。如草薜，茎节如竹，有刺。叶圆青赤[5]。根黄白，亦如竹[6]，根毛有刺。岐伯、一经[7]：茎无节[8]，根黄白，如竹根，有刺根，叶端圆赤[9]，皮白有赤脉。二月采。

【校注】

[1] **一名草薜**　《证类》引吴普文无。
[2] **一名赤节**　《证类》引《本经》谓草薜一名赤节，与此处狗脊一名赤节略异。所以《纲目》在"狗脊"条按云："《吴普本草》谓赤节为狗脊，似误也"。
[3] **一名强膂**　《证类》引吴普文无。《证类》《纲目》"狗脊"条注"强膂"为《别录》文。
[4] **温**　《证类》《纲目》引吴普文作"小温"。
[5] **青赤**　《证类》《纲目》引吴普文作"赤"，无"青"字，孙本、黄本、焦本同。
[6] **竹**　原脱，据《御览》他校本、《证类》《纲目》引吴普文补。
[7] **岐伯、一经**　《证类》引吴普文作"岐伯经云"。

[8] **茎无节** 孙本、黄本作"茎长节"。

[9] **圆赤** 《证类》《纲目》、孙本、周本、问本、黄本引吴普文作"圆青赤"。

124 萆薢 《御览》卷990页7

一名百枝[1]。

【校注】

[1] **一名百枝** 《证类》引《本经》文"狗脊一名百枝"。《纲目》"狗脊"条按云："《吴普本草》谓百枝为萆薢，似误也。"

125 通草[1] 《御览》卷992页6

一名丁翁，一名附支。神农、黄帝：辛。雷公：苦。生石城山谷。叶青，蔓延[2]。止汗。自正月采[3]。

【校注】

[1] **通草** 《御览》他校本作"蓪草"。

[2] **蔓延** 《广雅疏证》引吴普文作"蔓延环树生，汁白"。

[3] **止汗。自正月采** 明抄本、孙本、焦本同，鲍本、学本、从本、黄本作"止自汗。正月采"。

126 败酱 《纲目》卷16

其根似桔梗[1]。

【校注】

[1] **其根似桔梗** 《纲目》"败酱"条[集解]项下，有时珍曰："吴普言其根似桔梗"。查《御览》卷992页8"败酱"条未引吴普文，但引有《本经》曰："败酱似桔梗"。疑《纲目》误《本经》文为吴普文。

127 岑皮[1] 《御览》卷992页3

一名秦皮。神农、雷公、黄帝、岐伯：酸，无毒。季氏：小寒。或生宛句水边。二月、八月采。

【校注】

[1] **岑皮** 此条，《证类》《纲目》以"秦皮"为正名，以"岑皮"为异名。又以"秦皮"为《本经》文，以"岑皮"为《别录》文。

128 白芷 《御览》卷983页5

一名囍[1]，一名符[2]离，一名泽分[3]，一名苊[4]。

【校注】

[1] **囍** 原本注音"许娇切"，孙本、黄本、焦本引吴普文及《证类》引《别录》俱作"囍"。

[2] **符** 明抄本、焦本、《证类》《纲目》引吴普文作"符"。

[3] **分** 《证类》《纲目》引吴普文作"芬"。

[4] **苊** 鲍本、从本、黄本作"药"，孙本作"莀"。

129 白薇 按：此药辑自吴普文"麻子中人[1]"条，《本经》载此药。

【校注】

[1] **麻子中人** 《御览》卷995页2"麻子中人"条，吴普曰："不欲牡蛎、白薇"。

130 百合 《艺文》卷81

一名重迈，一名中庭，一名重匡。生冤句及荆山[1]。

【校注】

[1] **荆山** 《证类》引《别录》作"荆州川谷"。

131 酸浆 《御览》卷998页5

一名酢浆[1]。

【校注】

[1] **酢浆** 孙本、黄本、问本、周本作"酢酱"。又，《证类》引《本经》文作"醋浆"。"醋"同"酢"。

132 淫羊霍[1] 《御览》卷993页3

神农、雷公：辛。季氏：小寒。坚骨。

【校注】

[1] **霍** 《证类》《纲目》引《本经》作"藿"。

133 蠡实[1] 《御览》卷991页9

一名剧草，一名三坚，一名剧荔华。

【校注】

[1] **蠡实** 明抄本作"蠡实华"。

134 豕首[1] 《御览》卷992页8

一名泽蓝。神农、黄帝：甘、辛，无毒。生冤朐。五月采。

【校注】

[1] **豕首** 本条，《御览》引吴普文缺"豕首"，据《御览》目录标题补。又，"豕首"既是《本经》"天名精"异名，又是《本经》"蠡实"异名。

135 鬼箭 《御览》卷993页4

一名卫与[1]。神农、黄帝、桐君[2]：苦，无毒。叶如桃、如羽[3]。正月、二月、七月采，阴干。或生野田[4]。

【校注】

[1] **卫与** 《御览》各校本同。孙本、问本、周本、黄本、焦本作"卫矛"，《证类》《纲目》引《本经》文同。
[2] **桐君** 《纲目》引吴普文无。
[3] **如羽** 《纲目》引吴普文作"箭如羽"。
[4] **野田** 明抄本倒置，《纲目》引吴普文同。

136 紫威[1] 《御览》卷992页7

一名武威，一名瞿麦[2]，一名陵[3]居腹，一名鬼目，一名茇华[4]。神农、雷公：酸[5]。岐伯：辛。扁鹊：苦、咸。黄帝：甘，无毒。如麦，根黑。正月、八月采。或生真定[6]。

【校注】

[1] **紫葳** 《证类》《纲目》引《本经》药作"紫葳"。

[2] **麦** 即"麦"字异体。明抄本、《纲目》作"陵"。学本、鲍本、从本、孙本、黄本、焦本俱作"麦"。

[3] **陵** 明抄本作"陆"。

[4] **菱华** 孙本、问本、周本、黄本作"芰华"。《证类》引《别录》文同。

[5] **酸** 明抄本、《纲目》引吴普文无。

[6] **如麦……或生真定** 明抄本无。

137 紫草 《御览》卷996页7

一名地血[1]。节赤，二月花。

【校注】

[1] **一名地血** 原本无，据《纲目》引吴普文补。按：《御览》引《吴氏本草》仅有"节赤，二月花"。其后相邻引本草曰："紫草，一名地血"。《纲目》以《御览》引"本草曰"为"吴氏本草曰"，遂录"地血"为吴普文。

138 白兔藿 《御览》卷991页7

一名白葛谷[1]。

【校注】

[1] **白葛谷** 《纲目》引吴普文作"白葛"，脱"谷"字。又，《证类》引《本经》文，谓"白兔藿，一名白葛"。

139 蔷薇[1] 《御览》卷998页4

一名牛勒，一名牛膝，一名蔷薇[2]，一名山枣[3]。

【校注】

[1] **蔷薇** 此药，《证类》引《本经》文，以"营实"为正名，以"蔷薇"为异名。

[2] **一名蔷薇** 明抄本无。此异名与正名重复，疑原本有误。

[3] **山枣** 原作"出枣"，《御览》各校本及焦本同，据孙本、问本、周本、黄本改。又，《证类》"营实"条引《别录》文作"山棘"。

140 紫苑[1]　　《御览》卷993页5

一名青苑[2]。

【校注】

[1] **紫苑**　《证类》引《本经》作"紫菀"。

[2] **一名青苑**　《证类》引作《别录》文。

141 薇蔊　《御览》卷991页8

一名糜蔊[1]，一名无愿[2]，一名承膏，一名承丑[3]，一名无心鬼[4]。

【校注】

[1] **糜蔊**　原本作"麋蔊"，学本、鲍本同，据明抄本、孙本、问本、周本、黄本改。又，《证类》《纲目》引《本经》文同。

[2] **无愿**　《纲目》、孙本引吴普文作"无颠"，《证类》"薇蔊"条引《别录》文同。焦本作"无头"。

[3] **承丑**　学本、鲍本、孙本、问本、周本、黄本同。《纲目》引吴普文作"承肌"，《证类》引《别录》文同。

[4] **无心鬼**　《纲目》、孙本、周本、问本、黄本引吴普文作"无心"，皆脱"鬼"字。《证类》引《别录》文同。

142 黄孙[1]　　《御览》卷993页8

一名王孙[2]，一名蔓延，一名公草，一名海孙[3]。神农、雷公：苦，无毒。黄帝：甘，无毒[4]。生西海川[5]谷及汝南城郭垣下。蔓延，赤文，茎叶[6]相当。

【校注】

[1] **黄孙**　《证类》《纲目》对此条，以"王孙"为正名，以"黄孙"为异名。

[2] **一名王孙**　明抄本无。

[3] **一名王孙……一名海孙**　《纲目》《广群芳谱》引吴普文作"楚名王孙，齐名长孙，又名海

孙，吴名白功草，又名蔓延"。

　　［4］**无毒**　《纲目》引吴普文无。

　　［5］**川**　原作"生"，明抄本同，据学本、鲍本、从本改。又，孙本、问本、周本、黄本、焦本作"山"。

　　［6］**茎叶**　旧本《纲目》引吴普文作"整延"。刘衡如校点本《纲目》据《御览》引吴普文改为"茎叶"。

143　爵麻[1]　　《御览》卷991页7

　　一名爵卿。

【校注】

　　［1］**爵麻**　《证类》引《本经》作"爵床"。《纲目》按云："爵床不可解，按《吴氏本草》作爵麻甚通。"

144　水萍[1]　　《初学记》卷27页34、《御览》卷1000页2

　　一名水廉。生池泽水上[2]。叶圆小，一茎一叶，根入水。五月华白[3]，三月采，日干之[4]。

【校注】

　　［1］**水萍**　《御览》卷1000页2"萍"条引《诗义疏》曰："萍，粗大者为蘋"。又引《说文》曰："无根浮水而生为苹"。据此"蘋""水萍"是大小之分俱有根。而"苹"浮水而生无根。本条文中明言"根入水"，则"水萍"当是小者。《纲目》对"水萍""蘋"分立为两条。但在水萍条所指物似是浮萍，在蘋条所指物似是水萍。所言名、物含糊，不够明确。

　　［2］**水上**　黄本引吴普文作"水中"。

　　［3］**根入水。五月华白**　《纲目》引吴普文作"根入水底，五月白华"。

　　［4］**日干之**　《证类》引《别录》文作"暴干"。

145　海藻　按：此药辑自吴普文"大豆黄卷[1]"条，《本经》载此药。

【校注】

　　［1］**大豆黄卷**　《御览》卷841页6"大豆黄卷"条引吴普曰"不欲海藻"。

146　纶布[1]　　《纲目》卷19

　　一名昆布。酸、咸，寒，无毒。消瘰疬[2]。

【校注】

［1］ **纶布**　即昆布。

［2］ **消瘰疬**　《纲目》引吴普文无，据《本草汇言》引吴普文补。

147　干姜　按：此药辑自吴普文 "菥蓂[1]" "千岁垣中肤皮" 条。《本经》载此药。

【校注】

［1］ **菥蓂**　《御览》卷980页4 "菥蓂" 条，《吴氏本草》曰："恶干姜"。

148　生姜　按：此药辑自吴普文 "白及[1]" 条，《别录》 载此药。

【校注】

［1］ **白及**　《御览》卷990页8 "白及" 条，吴普曰："茎叶如生姜"。

149　荠苨　按：此药名辑自吴普文 "桔梗[1]" 条，《别录》 载此药。

【校注】

［1］ **桔梗**　《御览》卷993页2 "桔梗" 条，吴普曰："叶如荠苨"。

草木下品卷第四

150　大黄　《御览》卷 992 页 4

一名黄良[1]，一名火参，一名肤如。神农、雷公：苦，有毒。扁鹊：苦，无毒。季氏：小寒[2]。为中将军。或生蜀郡北部[3]，或陇西。二月卷[4]生，生黄赤叶，四四相当[5]，黄茎[6]，高三尺许，三月华黄，五月实黑。三月[7]采根，根有黄汁，切[8]阴干。

【校注】

[1]**一名黄良**　《证类》引作《别录》文。《纲目》引作《本经》文。

[2]**小寒**　《纲目》引吴普文作"大寒"。

[3]**北部**　《纲目》引吴普文作"北郡"。

[4]**卷**　孙本、黄本、焦本作"华"。

[5]**生黄赤叶，四四相当**　《纲目》引吴普文作"黄赤，其叶四面相当。"

[6]**黄茎**　《纲目》引吴普文无"黄"字。《广群芳谱》同。

[7]**三月**　从本、《纲目》引吴普文作"八月"。

[8]**切**　《纲目》引吴普文作"切片"。

151　蜀椒　按：此药名辑自吴普文"龙角[1]"条，《本经》载此药。

【校注】

[1] **龙角** 《御览》卷988页7"龙角"条,吴普曰:"龙角畏干漆、蜀椒"。

152 莽草[1] 《御览》卷993页3

一名春草。神农:辛。雷公、桐君:苦,有毒。生上谷山中[2],或冤句。五月采[3]。治风[4]。

【校注】

[1] **莽草** 原脱"草",据明抄本、鲍本、从本补。

[2] **生上谷山中** 孙本、黄本、焦本作"生上山谷中",《证类》引《别录》作"生上谷山谷"。

[3] **五月采** 《证类》引《别录》作"五月采叶"。

[4] **治风** 《证类》引《本经》作"主头风"。

153 鼠李 《御览》卷991页9

一名牛李。

154 巴豆 《御览》卷993页2

一名巴菽[1]。神农、岐伯、桐君:辛,有毒。黄帝:甘,有毒。李氏:生温熟寒[2]。叶如大豆。八月采。

【校注】

[1] **巴菽** 原本脱"巴"字,据《御览》他校本补。《证类》引《本经》文作"巴椒"。《纲目》改《本经》文"巴椒"为"巴菽",并注云:"此物出巴蜀,而形如菽豆,故以名之。宋本草一名巴椒,乃菽字传讹也。"

[2] **生温熟寒** 原本作"主温热寒",学本、鲍本、孙本、焦本同,明抄本作"主寒热",《纲目》引吴普文作"热",据从本改。刘衡如校点《纲目》"巴豆"条时,亦疑《御览》"主温热寒"为"生温熟寒"之误。

155 甘遂 《御览》卷993页7

一名主田,一名日泽[1],一名重泽,一名鬼丑,一名陵藁,一名甘藁[2],一名苦泽[3]。神农、桐君:苦,有毒[4]。岐伯、雷公:有毒。须二月、八月采。

【校注】

[1] **日泽** 孙本作"曰泽"，《纲目》引吴普文作"白泽"。

[2] **甘蕌** 《纲目》引吴普文有"甘泽"，无"甘蕌"。

[3] **苦泽** 孙本引吴普文有"甘泽"，无"苦泽"。

[4] **有毒** 《纲目》引吴普文作"甘，有毒"。

156　芫华　《御览》卷992页1

一名去水[1]，一名败华，一名儿草根[2]，一名黄大戟[3]。神农、黄帝：有毒。扁鹊、岐伯：苦。季氏：大寒[4]。二月生。叶青[5]，加厚则黑，华有[6]紫、赤、白者，三月实落尽，叶乃生。三月、五月采华[7]。

【校注】

[1] **去水** 明抄本作"法水"。

[2] **儿草根** 《本草图经》《纲目》引吴普文无"根"字。

[3] **一名黄大戟** 《纲目》引吴普文作"根名黄大戟"。

[4] **季氏：大寒** 《纲目》引吴普文作"李当之：有大毒"。

[5] **叶青** 学本、鲍本、从本作"华青"，《本草图经》引吴普文无"青"字。《纲目》引吴普文作"叶青色"。

[6] **有** 其后原有"子"字，据《本草图经》《纲目》引吴普文删。

[7] **三月、五月采华** 《纲目》引吴普文作"三月采华，五月采叶"。

157　芫华根　《御览》卷992页1

一名赤芫根。神农：辛[1]，雷公：苦，有毒，生邯郸。九月、八月采[2]，阴干。久用令人泄[3]，可用毒杀鱼。

【校注】

[1] **辛** 原本脱，据《本草图经》引吴普文补。

[2] **九月、八月采** 《纲目》引吴普文作"八月九月采根"。

[3] **久服令人泄** 《纲目》引吴普文作"多服令人泄"。

158　淮木[1]　《御览》卷993页8

神农、雷公：无毒。生晋平阳、河东平泽。治久咳上气，伤中赢虚，补中益气。

【校注】

[1] **淮木** 《证类》引作《本经》药，退有名未用类。

159　秦钩吻　《御览》卷990页5

一名毒根[1]，一名野葛[2]。神农：辛。雷公：有毒，杀人。生南越山[3]，或益州。叶如葛，赤茎，大如箭，方[4]，根黄。或生会稽东冶[5]。正月采。

【校注】

[1] **一名毒根** 《纲目》引吴普文作"一名除辛"。按："除辛"原出《蜀本草》，《纲目》糅合《蜀本草》入吴普文。

[2] **一名野葛** 《证类》《纲目》引吴普文无。

[3] **山** 其后，《纲目》引吴普文有"寒石山"，按："寒石山"原出《蜀本草》，《纲目》糅合《蜀本草》入吴普文。

[4] **方** 《御览》各校本、孙本、黄本同，《纲目》作"而方"，《证类》《广雅疏证》引吴普文无。

[5] **冶** 原作"治"，据学本、鲍本、从本改。又，《证类》引《别录》文作"野"。

160　石长生　《御览》卷991页8

神农：苦。雷公：辛。一经[1]：甘。生咸阳或同阳[2]。

【校注】

[1] **一经** 《御览》各校本、孙本、问本、周本、黄本、焦本同，《纲目》引吴普文作"桐君"。

[2] **同阳** 孙本、问本、周本、黄本无。

161　鼠尾　《御览》卷995页7

一名劲，一名山陵翘[1]。治痢也[2]。

【校注】

[1] **山陵翘** 《纲目》引吴普文同，《证类》引《别录》文作"陵翘"。

[2] **治痢也** 《证类》引《别录》文作"主下痢"。

162　蒲阴实[1]　《御览》卷993页8

生平谷[2]，或圃中[3]。延蔓如瓜，叶实如桃[4]。七月采[5]。止温[6]，延年。

【校注】

[1] **蒲阴实** 孙本作"满阴实"。《证类》引《别录》同。

[2] **生平谷** 《证类》引《别录》作"生深山谷"。

[3] **圃中** 《证类》引《别录》作"园中"。

[4] **叶实如桃** 《证类》引《别录》作"茎如芥，叶小，实如桃"。

[5] **七月采** 《证类》引《别录》作"七月成"。

[6] **止温** 明抄本同。学本、鲍本、从本作"止湿"，《证类》引《别录》作"止渴"。"渴"字义长，疑"温"为"渴"之误。

163　地朕[1]　《纲目》卷20

一名夜光，一名承夜。

【校注】

[1] **地朕** 《纲目》"地锦"引吴普文作"地朕、夜光、承夜"，据本书体例加"一名"2字。又，《证类》"有名未用"类引作《别录》药。

164　小华　《御览》卷991页8

一名结草。

165　千岁垣中肤皮　《御览》卷993页8

得姜、赤石脂共治[1]。

【校注】

[1] **共治** "共"，孙本、问本、周本、黄本无。"治"，其后疑有脱文。

166　鬼臼　《御览》卷993页2

一名九臼，一名天臼，一名雀犀[1]，一名马目公[2]，一名解毒。生九真山谷及冤句。二月、八月采根。

【校注】

[1] **雀犀** 《证类》引《本经》文作"爵犀"。

[2] **马目公** 《证类》引《本经》文作"马目毒公"。

167 萹蓄 《御览》卷 998 页 4

一名畜辩[1]，萹蔓[2]。

【校注】

[1] **畜辩** 《纲目》引吴普文作"扁辨"。孙本、问本、周本、黄本作"蓄辩"。

[2] **萹蔓** 《纲目》引吴普文作"扁蔓"。

168 女青 《御览》卷 993 页 7

一名霍由祇[1]。神农、黄帝：辛。

【校注】

[2] **霍由祇** 《证类》《纲目》"女青"条无此异名。

169 天雄 按：此药辑自吴普文 "大豆黄卷[1]" 条。《本经》 载此药。

【校注】

[1] **大豆黄卷** 《御览》卷 841 页 6 "大豆黄卷" 条，吴普云："得天雄……共蜜和佳"。

170 乌头 《御览》卷 990 页 2

一名莨，一名千秋[1]，一名毒公，一名果负[2]，一名耿子。神农、雷公、桐君、黄帝：甘，有毒。正月始生，叶厚，茎方中空，叶四面[3]相当，与蒿[4]相似。

【校注】

[1] **千秋** 《纲目》引吴普文作"帝秋"，孙本、黄本作"千狄"。

[2] **果负** 孙本、黄本作"卑负"。

[3] **四面** 《证类》《纲目》引吴普文作"四四"。

[4] **蒿** 原本作"嵩"，据《证类》引吴普文改。

171 附子 《御览》卷 990 页 2

一名莨[1]。神农：辛。岐伯、雷公：甘，有毒。季氏[2]：苦，有毒，大温^[3]。或生广汉。八月采。皮黑肌白^[4]。

【校注】

[1] **一名茛** 原书脱"一",据本书体例补。又本书"乌头""侧子"皆有"一名茛"。

[2] **季氏** 《纲目》引吴普文作"李当之"。

[3] **有毒,大温** 《纲目》引吴普文作"大温,有大毒"。

[4] **肌白** 孙本、问本、周本、黄本、焦本作"肥白"。

172 侧子^[1] 《御览》卷 990 页 2

一名茛。神农、岐伯:有大毒。季氏:大寒^[2]。八月采,阴干。是附子角之大者^[3]。畏恶与附子同。

【校注】

[1] **侧子** 其前,原本有"一名"2 字,据《纲目》引吴普文删。又,《御览》其他校本及孙本、黄本、焦本作"萴子"。时珍曰:"生于附子之侧,故名。许慎《说文》作萴子。"

[2] **季氏:大寒** 《纲目》引吴普文无。

[3] **阴干。是附子角之大者** 《纲目》引吴普文无。

173 乌喙 《御览》卷 990 页 2

神农、雷公、桐君、黄帝:有毒。季氏:小寒。十月采。形如乌头,有两歧^[1]相合,如乌之喙,名曰乌喙也。所畏、恶、使,尽与乌头同。

【校注】

[1] **歧** 原本作"枝",《御览》各校本同,据《证类》引吴普文改。

174 羊踯躅华^[1] 《御览》卷 992 页 2

神农、雷公:辛,有毒。生淮南。治贼风、恶毒,诸邪气。

【校注】

[1] **羊踯躅华** 《证类》《纲目》引《本经》文无"华"字。

175 石芸^[1] 《御览》卷 982 页 7

一名敞列^[2],一名顾喙^[3]。

【校注】

[1] **石芸** 《御览》卷982目录作"芸香"。《证类》有名未用类作《别录》药。

[2] **敱列** 《证类》引《别录》作"螫烈"。

[3] **顾啄** 学本、鲍本、从本作"领啄"。《证类》引《别录》作"顾啄"。

176 茵芋 《御览》卷992页7

一名卑山共[1]。微温，有毒。状如莽草而细软。

【校注】

[1] **卑山共** 孙本、问本、周本、黄本作"卑共"，《证类》引《别录》文亦作"卑共"。

177 射干 《御览》卷992页6

一名黄远。

178 蜀漆[1] 《御览》卷992页3

叶一名恒山。神农、岐伯、雷公：辛，有毒。黄帝：辛。一经：酸。如漆叶、蓝菁相似[2]，五月采[3]。

【校注】

[1] **蜀漆** 《证类》引《本经》药同，不作"蜀漆叶"。其"叶"字应属下文。《广雅疏证》"恒山蜀漆"条云："《御览》引《吴普本草》有蜀漆，叶一名恒山。"

[2] **蓝菁相似** 《广雅疏证》引吴普文作"与蓝菁相似"。

[3] **五月采** 《证类》"蜀漆"条引《别录》文作"五月采叶"。

179 半夏 《御览》卷992页5

一名和姑[1]。生微丘，或生野中。叶三三相偶，二月始生[2]，白华圆上。

【校注】

[1] **和姑** 《纲目》注出处为《本经》文。

[2] **叶三三相偶，二月始生** 《纲目》引吴普文作"二月始生，叶三三相偶"。

180 款冬 《艺文》卷81

十二月华，华黄白[1]。

【校注】

[1] **十二月华，华黄白** 孙本、问本、周本、黄本作"十二月华黄白"，《渊鉴类函》作"十二月开华，黄色，茎紫赤。"《证类》"款冬"条引《别录》文作"十一月，采花，阴干"。

181 牡丹 《御览》卷992页6

神农、岐伯：辛。季氏：小寒[1]。雷公、桐君：苦，无毒。黄帝[2]：苦，有毒。叶如蓬相值，黄色[3]。根如指[4]，黑，中有毒[5]核。二月采[6]，八月采，日干[7]。可食之[8]，轻身益寿。

【校注】

[1] **季氏：小寒** 明抄本无。

[2] **黄帝** 《纲目》引吴普文作"桐君"。按：上文已有"桐君"，下文又出"桐君"，《纲目》所引，显系重复。

[3] **黄色** 孙本、黄本引吴普文无。

[4] **指** 明抄本作"稍"，孙本、焦本作"栢"。

[5] **毒** 明抄本、从本、焦本无。

[6] **采** 明抄本、鲍本、从本无，疑衍。

[7] **日干** 《证类》引《别录》文作"阴干"。

[8] **可食之** 明抄本作"久食之"，《纲目》作"久服"，孙本、问本、周本、黄本、焦本作"人食之"。按："人食之"的"人"，疑为"久"之讹。

182 木防己[1] 《御览》卷991页6

一名解离，一名解燕。神农：辛。黄帝、岐伯、桐君：苦，无毒。李氏：大寒。如葛茎[2]，蔓延如芄[3]，白根，外黄似桔梗，内黑，文[4]如车辐解[5]。二月、八月、十月采叶[6]根。

【校注】

[1] **木防己** 《证类》引《本经》作"防己"，《药性论》分"汉防己""木防己"。

[2] **如葛茎** 《纲目》引"当之曰"作"其茎如葛"。孙本、问本、周本、黄本作"如芎茎"。

[3] **芄** 《御览》各校本同，孙本作"芄"，黄本作"芄"。

[4] **文** 孙本、问本、周本、黄本、焦本作"又"。

[5] **李氏：大寒……文如车辐解** 《纲目》引作"李当之曰"文。又，"解"后《纲目》有"良"字。

[6] **叶** 学本、明抄本同，鲍本、从本、孙本、问本、周本、黄本无"叶"字。

183　蜀黄环[1]　　《御览》卷993页6

一名生刍，一名根韭。神农、黄帝、岐伯、桐君、扁鹊：辛。一经：味苦，有毒[2]。二月生，初出正赤[3]，高二尺，叶黄圆端大，茎叶有汁[4]，黄白。五月实圆。三月采根，根黄，从理，如车辐解。治蛊毒[5]。

【校注】

[1]　**蜀黄环**　《证类》《纲目》引《本经》作"黄环"。

[2]　**岐伯、桐君、扁鹊：辛。一经：味苦，有毒**　《纲目》引吴普文作"有毒。桐君、扁鹊：苦。"

[3]　**二月生，初出正赤**　《纲目》引吴普文作"二月生苗，正赤"。

[4]　**茎叶有汁**　明抄本、《纲目》引吴普文作"经日叶有汁"。

[5]　**治蛊毒**　明抄本作"治虫毒"，焦本作"治毒"，《广群芳谱》作"根气味苦，平，有毒。治蛊毒。"

184　女苑　《御览》卷991页8

一名白苑，一名织[1]女苑[2]。

【校注】

[1]　**织**　孙本、问本、周本、黄本、焦本作"识"。

[2]　**一名白苑，一名织女苑**　《证类》引作《别录》文。

185　泽兰　《御览》卷990页7

一名水香。神农、黄帝、岐伯、桐君：酸，无毒。季氏：温[1]。生下地水傍。叶如兰，二月生香[2]，赤节，四叶相值[3]枝节间。三月三日采[4]。

【校注】

[1]　**温**　《纲目》引吴普文作"小温"。

[2]　**香**　《证类》引吴普文同，学本、鲍本、从本、《纲目》作"苗"。

[3]　**值**　《大观》引吴普文作"生"。

[4]　**三月三日采**　《御览》各校本同，《证类》《纲目》、孙本、问本、周本、黄本无此文。

186 牡蒙[1]　　《御览》卷990页8

一名紫参，一名众戎，一名音腹[2]，一名伏菟，一名重伤[3]。神农、黄帝：苦。季氏：小寒。生河西山谷，或宛句商山[4]。圆聚生，根黄赤有文，皮黑中紫。五月华紫赤，实黑，大如豆。三月采根。

【校注】

[1] **牡蒙**　原本作"壮蒙"，明抄本同。据学本、鲍本、从本、孙本改。焦本作"伏蒙"。又，本条，《证类》《纲目》引《本经》文，以紫参为正名，以牡蒙为异名。

[2] **音腹**　明抄本作"青腹"。

[3] **重伤**　鲍本、从本、黄本作"童肠"。又，《证类》"紫参"条，以"童肠"为异名，并作《别录》文。

[4] **生河西山谷，或宛句商山**　《证类》引《别录》作"生河西及宛句山谷"。

187 雷丸[1]　　《御览》卷990页3

一名雷实[2]。神农：苦。黄帝、岐伯、桐君：甘，有毒。扁鹊：甘，无毒。季氏：大寒。或生汉中。八月采[3]。

【校注】

[1] **雷丸**　此条，明抄本仅有"雷丸，一名雷实"，其余文无。

[2] **一名雷实**　《证类》《纲目》引吴普文无。

[3] **或生汉中。八月采**　《证类》《纲目》引吴普文无。

188 贯众　　《御览》卷990页4

一名贯来，一名贯中，一名渠母，一名贯钟，一名伯芹，一名药藻[1]，一名扁符，一名黄钟。神农、岐伯：苦，有毒。桐君、扁鹊：苦。一经：甘，有毒。黄帝：咸、酸。微苦[2]，无毒。叶青黄[3]，两两相对，茎黑毛，聚生[4]，冬夏不死[5]，四月华白[6]，七月实黑，聚相连卷旁行[7]生。三月、八月采根，五月采叶[8]。

【校注】

[1] **药藻**　《证类》引《别录》《蜀本草》作"乐藻"。

［2］**微苦** 原本作"一苦"。据学本、鲍本、从本改。明抄本、孙本作"一经：苦"。

［3］**叶青黄** 孙本作"叶黄"，《纲目》引吴普文作"叶青黄色"。

［4］**聚生** 学本、鲍本、从本作"藂生"，"藂"是"丛"的异体字。《纲目》引吴普文作"丛生"。

［5］**死** 孙本、黄本、焦本作"老"。

［6］**白** 孙本、黄本、焦本无。

［7］**行** 明抄本、《纲目》《广群芳谱》引吴普文无。

［8］**叶** 孙本、黄本作"药"。

189 狼牙[1] 　《御览》卷993页3

一名支兰[2]，一名狼齿，一名犬牙[3]，一名抱牙[4]。神农、黄帝：苦，有毒。桐君：咸[5]。岐伯、雷公、扁鹊：苦，无毒。或[6]生宛句。叶青，根黄赤，六月、七月华，八月实黑。正月、八月采根。消疥癣[7]。

【校注】

［1］**狼牙** 《证类》引《本经》药，以"牙子"为正名，以"狼牙"为异名。

［2］**支兰** 《纲目》注出处为"李当之"。

［3］**犬牙** 明抄本、焦本作"大牙"。

［4］**抱牙** 孙本作"抱子"。

［5］**咸** 孙本、黄本、焦本作"或咸"，《纲目》引吴普文作"辛"。

［6］**或** 孙本、黄本、焦本无。

［7］**消疥癣** 原本无，据《汇言》引吴普文补。

190 藜芦 　《御览》卷990页3

一名葱葵，一名山葱，一名丰芦，一名蕙葵，一名公苒[1]。神农、雷公：辛，有毒。黄帝：有毒。岐伯：咸，有毒。季氏：大毒，大寒。扁鹊：苦，有毒[2]。大叶根小[3]相连。二月采根[4]。

【校注】

［1］**公苒** 学本作"葱苒"，《证类》引"葱苒"作《本经》文。

［2］**有毒** 孙本、问本、周本作"有毒大寒"，焦本作"毒，大寒"。

［3］**大叶根小** 明抄本同，学本、鲍本、从本、《广雅疏证》作"大叶小根"，孙本、黄本、焦本作"叶根小"。

［4］**二月采根** 《证类》引《别录》文作"三月采根"。

191　闻茹　《御览》卷991页7

一名离楼[1]，一名屈居[2]。神农：辛。岐伯：酸、咸，有毒。季氏：大寒。二月生[3]，叶圆黄，高四五尺，叶四四相当。四月华黄，五月实黑。根黄有汁，亦同黄。三月、五月采根，黑头者良[4]。

【校注】

[1]　**离楼**　《证类》《纲目》引《别录》文作"离娄"。

[2]　**屈居**　《证类》《纲目》引《别录》文作"屈据"。

[3]　**二月生**　《御览》各校本作"二月采"，《证类》引陶弘景注有"叶似大戟，华黄，二月便生"，《本草图经》所云同此，爰据以改。

[4]　**叶圆黄……黑头者良**　《纲目》引吴普文作"草高四五尺，叶圆黄，四四相当，四月华，五月实黑，根黄有汁亦黄色。三月采叶，四、五月采根。"

192　白头翁　《御览》卷990页8

一名野丈人，一名奈何草。神农、扁鹊：苦[1]，无毒。生嵩山川谷[2]。治气狂[3]、寒热，止痛。

【校注】

[1]　**苦**　明抄本无。

[2]　**川谷**　《证类》引《别录》文作"山谷"。

[3]　**治气狂**　明抄本、学本同，鲍本、从本作"治风狂"，孙本、问本、周本、焦本作"破气狂"，《证类》引《本经》文作"主狂易"。

193　白敛　按：此药辑自吴普文"乌喙[1]"条，《本经》载此药。

【校注】

[1]　**乌喙**　《御览》卷990页2"乌喙"条，吴普曰："所畏恶使，尽与乌头同"。查《证类》"乌头"条畏恶文有"白敛"。

194　白及　《御览》卷990页8

一名白根[1]。神农：苦[2]。黄帝：辛。季氏：大寒。雷公：辛，无毒。茎叶如生姜、藜芦也。十月华[3]直上紫赤。根白连。二月、八月、九月采，<u>生宛句</u>[4]。

【校注】

［1］**白根** 《纲目》《广雅疏证》《广群芳谱》引吴普文作"白根"，《证类》引《别录》文作"甘根"。

［2］**苦** 原本无，据鲍本、从本补。

［3］**华** 其后，明抄本衍"叶"字。

［4］**生宛句** 《证类》、孙本、黄本引吴普文无。

195　虎掌　《御览》卷990页4

神农、雷公：苦[1]，无毒[2]。岐伯、桐君：辛，有毒。或生太山，<u>或宛句</u>[3]。立秋九月采[4]。

【校注】

［1］**苦** 原本无，据明抄本、《证类》《纲目》引吴普文补。

［2］**无毒** 《纲目》引吴普文作"有毒"。

［3］**或生太山，或宛句** 《证类》《纲目》未见引。

［4］**立秋九月采** 《证类》引《别录》文作"二月、八月采"。

196　假苏　《要术》卷3、《御览》卷977页7、《证类》页513

一名鼠蓂，一名鼠实[1]，<u>一名姜芥</u>，一名荆芥。叶似落藜而细，蜀中生啖之[2]。

【校注】

［1］**一名鼠蓂，一名鼠实** 《要术》有"一名鼠蓂"，而无"一名鼠实"。《御览》正相反。

［2］**一名荆芥。叶似落藜而细，蜀中生啖之** 以上15字，《要术》《御览》皆无，据《证类》转载《蜀本草》引吴普文补。按：《唐本草》注云："假苏即菜中荆芥是也，姜、荆声讹耳。"则荆芥即姜芥。

197　王刍[1]　《御览》卷997页3

一名黄草。神农、雷公：苦[2]。生太山山谷。治身热邪气、小儿身热气[3]。

【校注】

[1] **王刍** 《唐本草》注云："荩草，《尔雅》所谓王刍者也。"又，本条异名有"一名黄草"，《证类》引《别录》文"荩草可以染黄作金色"，与"黄草"义合，足证王刍即荩草。《证类》引《本经》"荩草"条无王刍异名。

[2] **神农、雷公：苦** 《纲目》注出处为"权曰"，刘衡如校点本《纲目》改出处为"普曰"。又，"苦"原本脱，据学本、鲍本、从本补。

[3] **乞** 《纲目》引吴普文无。

198 恒山[1]　　《御览》卷992页3

一名七叶[2]。神农、岐伯：苦。李氏：大寒。桐君：辛，有毒。二月、八月采。

【校注】

[1] **恒山** 《证类》引《本经》药作"常山"。此因避宋真宗赵恒讳所改。在此以前《医心方》所录《唐本草》药物目录，仍作"恒山"。

[2] **七叶** 孙本、问本、周本、黄本作"漆叶"。《广雅疏证》"恒山蜀漆"条云："《御览》引《吴普本草》有蜀漆，叶一名恒山。"

199 乌韭　　按：此药辑自吴普文"侧子[1]"条，《本经》载此药。

【校注】

[1] **侧子** 《御览》卷990页3"侧子"条，吴普曰："畏恶与附子同"。查《证类》"附子"条畏恶文有"乌韭"。

200 木甘草[1]　　《药种钞》[2]页322

叶四四相当[3]。

【校注】

[1] **木甘草** 《证类》《纲目》作《别录》文。

[2] **《药种钞》** 日本僧人亮阿阇梨兼意撰。日本八木书店据天理图书馆藏卷子本影印。

[3] **叶四四相当** 《证类》《纲目》引《别录》作"大叶如蛇状，四四相值。"

虫兽三品卷第五

一、虫兽上品

201　龙骨　《御览》卷988页7

生晋地山谷阴[1]，大水所过处。是死龙骨[2]。色[3]青白者善。十二月采，或无时。

【校注】

[1]　**山谷阴**　《证类》引《别录》作"川谷"。

[2]　**死龙骨**　鲍本、从本、焦本作"龙死骨"。

[3]　**色**　孙本、黄本作"也"。

202　龙角[1]　《御览》卷988页7

畏干漆、蜀椒、理石。

【校注】

[1]　**龙角**　孙本、问本、周本、黄本、焦本作"龙骨"。按：本条"畏干漆、蜀椒、理石"文，《证类》列在"龙角"条下，不在"龙骨"条下，则本条以"龙角"为正名可信。

203 龙齿 《御览》卷988页7

神农、季氏：大寒。龙齿[1]治惊痫，久服轻身。

【校注】

[1] **龙齿** 孙本、黄本、焦本无。

204 牛黄 《后汉书》卷64列传54《延笃传》李贤注

味苦，无毒[1]。牛出入呻[2]者有之。夜有光[3]走角中[4]，牛死入胆中[5]，如鸡子黄。

【校注】

[1] **味苦，无毒** 《御览》各校本无，《证类》引吴普文作"无毒"。

[2] **呻** 《御览》各校本作"鸣吼"，《证类》引吴普文同。

[3] **夜有光** 《御览》各校本作"夜视有光"，《证类》引吴普文作"夜光"。

[4] **走角中** 《御览》作"走牛角中"。

[5] **牛死入胆中** 《御览》、明抄本、学本作"死其胆中"，鲍本、从本作"牛死，其胆中"。

205 石蜜[1] 《御览》卷988页5

神农、雷公：甘，气平。生河原[2]或河梁。

【校注】

[1] **石蜜** 陶弘景注云："石蜜即崖蜜，高山岩石间作之。"

[2] **生河原** 《证类》引《别录》作"生河源山谷"。

206 食蜜[1] 《御览》卷857页2

生武都谷[2]。

【校注】

[1] **食蜜** 陶弘景注云："木蜜呼为食蜜，悬树枝作之，树空及人家养作之。"

[2] **生武都谷** 《证类》引《别录》作"生武都山谷"。

207 丹雄鸡 《纲目》卷48

一名载丹。扁鹊：辛。

208 丹鸡卵 《御览》卷928页7

可作虎珀[1]。

【校注】

[1] **可作虎珀** 《证类》引作《本经》文，《纲目》引作《别录》文。又，"珀"，《证类》《纲目》作"魄"。

209 雁肪 《御览》卷988页8

神农、岐伯、雷公：甘，无毒。采无时[1]。

【校注】

[1] **采无时** 《证类》引吴普文作"杀诸石药毒"。

210 鹜肪[1] 《御览》卷988页8

杀诸石药毒[2]。

【校注】

[1] **鹜肪** 《证类》《纲目》谓"鹜"即"鸭"。本条《证类》《纲目》未引吴普文。

[2] **杀诸石药毒** 此文，《证类》《纲目》引吴普文列于"雁肪"条下。又，《证类》引《别录》"白鸭屎"条作"主杀石药毒"。

211 牡蛎 按：此药辑自吴普文"麻勃""麻蓝""麻子中人"[1]条，《本经》载此药。

【校注】

[1] **"麻勃……麻子中人"** 《御览》卷995页2"麻勃""麻蓝"条，吴普曰："畏牡蛎"，同书"麻子中人"条，吴普曰："不欲牡蛎"。

二、虫兽中品

212　马　按：此药辑自吴普文 "奄闾[1]" 条，《本经》 载此药。

【校注】

[1] **奄闾**　《御览》卷991页6 "奄闾" 条，吴普曰："驴马食仙去"。《纲目》卷50有 "马" 条，注出《本经》中品，《证类》引《本经》作 "白马茎"。

213　马齿　按：此药辑自吴普文 "长石[1]" 条，《别录》 载此药。

【校注】

[1] **长石**　《御览》卷988页5 "长石" 条，吴普曰："理如马齿"。《证类》 "白马茎" 条引《别录》药有马齿，主小儿惊痫。

214　伏翼　《艺文》卷97页8

或生人家屋间。立夏后阴干[1]。治目冥，令人夜视有光[2]。

【校注】

[1] **立夏后阴干**　《证类》引《别录》文作 "立夏后采，阴干"。
[2] **有光**　《证类》引《本经》文作 "有精光"。

215　石龙子[1]　《御览》卷946页4

一名守宫，一名石蜴，一名山龙子[2]。

【校注】

[1] **石龙子**　《证类》《纲目》引作《本经》药。
[2] **一名山龙子**　孙本、问本、周本、黄本、焦本引吴普文作 "一名石龙子"。疑孙本等误出 "一名石龙子"。

216　桑蛸条[1]　《御览》卷946页6

一名蚀肬[2]，一名害焦[3]，一名致。神农：咸，无毒。

【校注】

[1] **桑蛸条**　《证类》《纲目》引《本经》作"桑螵蛸"。

[2] **一名蚀肬**　原脱"一名"，据本书体例补。又，《证类》引《本经》文有"一名蚀肬"。

[3] **螬焦**　《广雅疏证》蟏蛸条："《御览》引《吴普本草》作'桑螵蛸，一名冒焦'。冒焦、螏焦，皆螵蛸之转声也。"

217　尘虫[1]　《御览》卷949页8

一名土鳖。

【校注】

[1] **尘虫**　孙本、问本、周本、黄本作"䗪虫"。

218　蛴螬　《纲目》卷40

一名应条。

219　海蛤[1]　《御览》卷988页8

神农：苦。岐伯：甘。扁鹊：咸。大节，头有文，文如磨齿[2]。采无时。

【校注】

[1] **海蛤**　《证类》《纲目》引作《本经》药。

[2] **文如磨齿**　《纲目》引吴普文作"文如锯齿"。陶弘景《集注》云："海蛤，今人多取相擽令磨荡似之。"

220　石蚕　《御览》卷825页6

一名沙蚶[1]。神农[2]、雷公：咸[3]，无毒。生汉中。治五淋[4]，破髓，肉解结气[5]，利水道，除热。

【校注】

[1] **沙蚶**　学本、鲍本、从本作"沙蜂"，孙本、问本、周本、黄本作"沙虱"，《证类》引《本经》亦作"沙虱"。

[2] **神农**　《纲目》引吴普文无。

[3] **咸**　孙本、问本、周本、黄本作"酸"。

[4] **生汉中。治五淋** 原本无，据《御览》其他校本补。

[5] **破髓，肉解结气** 孙本、黄本作"破髓内结气"。《证类》引《本经》作"堕胎，肉解结气"。

221 乌贼鱼骨 《纲目》卷44

冷。

三、虫兽下品

222 猪肚[1] 《纲目》卷50

消积聚癥瘕，治恶疮。

【校注】

[1] **猪肚** 《证类》豚卵条引《别录》作"豚肚"。

223 鼠屎 按：此药辑自吴普文"大豆黄卷[1]"条。

【校注】

[1] **大豆黄卷** 《御览》卷841页6"大豆黄卷"条，吴普曰："鼠屎共蜜和佳"。

224 戴尾[1] 《御览》卷988页8

治蛊毒。

【校注】

[1] **戴尾** 《御览》卷988目录，标题为"药部五·石药下"，并注云："禽兽药附"。在目录所附禽类药末是"戴头"，其下附有"戴尾"。则《御览》所言"戴尾"是老鹰的尾，非植物"鸢尾"。

225 运日[1] 《御览》卷927页8

一名羽鸩。

【校注】

[1] **运日** 《广雅疏证》"鸩鸟"条:"《御览》引《吴普本草》云:'运日,一名羽鸩'。'运'或作'鸡'。"又,本条,《证类》引《别录》以"鸩鸟"为正名,以"鸡日"为异名。

226 蛇脱[1] 《御览》卷934页5

一名龙子单衣,一名弓皮,一名蛇附[2],一名蛇筋,一名龙皮[3],一名龙单衣[4]。

【校注】

[1] **蛇脱** 《御览》各校本及焦本同。孙本、问本、周本、黄本引吴普文作"蛇蜕",《证类》《纲目》引《本经》文亦作"蛇蜕"。

[2] **蛇附** 《证类》引《本经》作"蛇符"。

[3] **龙皮** 《证类》引《别录》作"龙子皮"。

[4] **龙单衣** 《证类》引《本经》作"龙子衣"。

227 蜈蚣 按:此药辑自普文 "侧子[1]" 条,《本经》 载此药。

【校注】

[1] **侧子** 《御览》卷990页3"侧子"条,吴普曰:"畏恶与附子同"。《证类》"附子"条畏恶文有"蜈蚣"。

228 马蚿[1] 《御览》卷948页5

一名马轴。

【校注】

[1] **马蚿** 此条,《御览》引吴普文无正名,据《御览》目录补。《广雅疏证》"蛆螺"条:"《御览》引《吴普本草》云:'马蚿,一名马轴',又谓之马陆。"则马蚿即马陆。

229 萤火 《艺文》卷97页8

一名夜照[1],一名熠耀,一名救火,一名景天,一名据火,一名挟火。

【校注】

[1] **夜照** 《证类》引《别录》作"即炤"，《纲目》引吴普文作"即炤，夜炤"。

230　衣中白鱼[1]　《御览》卷946页4

一名蟫。

【校注】

[1] **衣中白鱼** 《证类》引《本经》作"衣鱼"。

231　蚯蚓[1]　《御览》卷947页2

一名白颈螳蟥，一名附蚓，一名寒蚖，一名寒蚓[2]。

【校注】

[1] **蚯蚓** 《证类》引《本经》作"白颈蚯蚓"。

[2] **一名寒蚖，一名寒蚓** 原本及《御览》各校本、孙本俱无，据《纲目》引吴普文补。

232　马刀　《御览》卷993页7

一名齐蛤[1]。神农、岐伯、桐君：咸，有毒。扁鹊：小寒，大毒。生池泽、江海[2]。采无时也。

【校注】

[1] **齐蛤** 《证类》引《别录》作"马蛤"。

[2] **江海** 《证类》引《别录》作"江湖"。

233　地胆　《御览》卷951页8

一名元青[1]，一名杜龙，一名青虹[2]。

【校注】

[1] **一名元青** 《证类》引《本经》作"一名蚖青"。

[2] **一名青虹** 《广雅疏证》"地胆"条："《御览》引《吴普本草》云：'地胆，一名青蛙'。蛙、蟬声近，而字通。"《证类》引《别录》作"一名青蛙"。

234　斑猫[1]　　《御览》卷951页8

一名斑蚝[2]，一名龙蚝，一名斑菌[3]，一名腾发[4]，一名盘蛰[5]，一名晏青。神农：辛。岐伯：咸。桐君：有毒[6]。扁鹊：甘，有大毒[7]。生[8]河内川谷，或生水石[9]。

【校注】

[1] **斑猫**　原本作"班猫"，据《证类》引吴普文改。

[2] **斑蚝**　原本作"班蚝"，据《证类》引吴普文改。又，"蚝"，《御览》注："音判"，《证类》注"音剌"。

[3] **斑菌**　原本作"班菌"，据《证类》引吴普文改。又鲍本、从本作"斑菌"，孙本、黄本作"斑苗"。

[4] **腾发**　孙本、黄本作"胜发"。

[5] **一名盘蛰**　原本无，据《证类》《纲目》引吴普文补。

[6] **桐君：有毒**　《纲目》引吴普文无。

[7] **毒**　其后，《纲目》引吴普曰有"马刀为之使，畏巴豆、丹参、空青、肤青、甘草、豆花"。

[8] **生**　原本无，据《证类》引吴普文补。

[9] **川谷，或生水石**　《纲目》引吴普文作"山谷，亦生木石"。

235　蜚蠊虫[1]　　《御览》卷949页8

神农、黄帝云：治妇人瘕坚[2]寒热。

【校注】

[1] **蜚蠊虫**　《证类》《纲目》引《本经》作"蜚蠊"。

[2] **瘕坚**　原本无，据《纲目》引吴普文补。

果菜米谷三品卷第六

一、果部三品

上品

236 覆盆[1]　　《御览》卷993页8

一名决盆。

【校注】

[1] **覆盆**　原本作"皶瓮"，系古代异名俗字，据通行字改。明抄本作"皶瓮"，学本、鲍本、焦本作"皶瓮"，从本作"蕧瓷"，孙本、问本、周本、黄本作"缺盆"。《尔雅》："茥，蕧盆"，郭璞注："复盆也，实似莓而小，亦可食。"

237 大枣　《要术》卷4、《证类》卷23

一名良枣[1]。主调中，益脾气，令人好颜色，美志气[2]。

【校注】

[1] **一名良枣**　此文辑自《要术》引吴普文。

[2] **主调中……美志气**　此文辑自《证类》引吴普文。

238　樱桃　　《艺文》卷86页10，《御览》卷969页6

一名朱茱，一名麦英。甘酢[1]。主调中，益脾气[2]，令人好颜色，美[3]志气[4]。

【校注】

[1]　**一名朱茱，一名麦英。甘酢**　《本草图经》引吴普文无"英"字。《要术》引吴普文作"一名牛桃，一名英桃"。《渊鉴类函》引吴普文作"一名朱茱，一名牛桃"。《证类》引《别录》分"樱桃""婴桃"，《纲目》以《证类》"婴桃"为"山婴桃"。

[2]　**益脾气**　孙氏《本经》引吴普文作"益气"。

[3]　**美**　学本、鲍本、从本作"益"。

[4]　**樱桃……美志气**　《御览》卷969页6作"樱桃，味甘。主调中，益脾气，令人好颜色，美志气。一名朱桃，一名麦英也。"

239　山樱桃　　《纲目》卷30

一名麦樱。

中品

240　梅核[1]　　《初学记》卷28页15

明目，益气不饥。

【校注】

[1]　**梅核**　孙本、问本、周本、黄本作"梅实"，《证类》《纲目》引《本经》文同。

241　木瓜[1]　　《御览》卷973页3

生夷陵。

【校注】

[1]　**木瓜**　《证类》《纲目》引作《别录》药。

242 芋　按：此药辑自普文 "署预[1]" 条，《别录》载此药。

【校注】

［1］**署预**　《御览》卷989页8 "署预" 条，吴普曰："根中白，皮黄，类芋。"

下品

243 郁核[1]　　《御览》卷973页3

一名雀李[2]，一名车下李，一名棣。

【校注】

［1］**郁核**　《御览》其他校本、孙本、问本、周本、黄本俱作 "郁李"。《证类》引《本经》文亦作 "郁李"。

［2］**雀李**　《证类》引《本经》文作 "爵李"。

244 杏子　此药名辑自吴普文 "大豆黄卷[1]" 条。《本经》载杏核仁。

【校注】

［1］**大豆黄卷**　《御览》卷841页6 "大豆黄卷" 条，吴普云："得前胡、杏子……共蜜和佳。"

245 桃　按：此药辑自普文 "鬼箭" "菰阴实"[1] 条，《本经》载此药。

【校注】

［1］**"鬼箭""菰阴实"**　　《御览》卷993页4 "鬼箭" 条，吴普曰："叶如桃"。《御览》卷993页8 "菰阴实" 条，吴普曰："叶实如桃"。《纲目》卷29有 "桃" 条，注出《本经》下品。

246 李核[1]　　《御览》卷968页6

治仆僵[2]。花令人好色。

【校注】

[1] **李核** 《证类》引《别录》作"李核人"。

[2] **治仆僵** 《证类》引《别录》作"主僵仆蹶"。

247 梨 《要术》卷4页76

金创、乳妇不可食梨。梨多食则损人，非补益之物。产妇蓐中及疾病未愈，食梨多者，无不致病。咳逆上气者，尤宜慎之[1]。

【校注】

[1] **梨多食则损人……尤宜慎之** 以上37字，疑为后人续注，非吴普原文，因标记脱漏所致。

二、菜部三品

上品

248 瓜子[1] 《御览》卷978页8

一名瓣。七月七日采[2]。可作面脂。

【校注】

[1] **瓜子** 《证类》引《本经》作"白瓜子"。

[2] **七月七日采** 《证类》引《别录》作"八月采"。

249 葵 按：此药辑自吴普文"细辛[1]"条，《本经》载此药。

【校注】

[1] **细辛** 《御览》卷989页7"细辛"条，吴普曰："如葵，叶赤色。"《纲目》卷16有"葵"条，注出《本经》上品。

250 芜菁 按：此药辑自吴普文"白沙参[1]"条，《别录》载此药。

【校注】

[1] **白沙参** 《御览》卷991页3"白沙参"条，吴普曰："根大白如芜菁"。

251 芥 按：此药辑自吴普文"白沙参[1]"条，《别录》载此药。

【校注】

[1] **白沙参** 《御览》卷991页3"白沙参"条，吴普曰："实白如芥"。

252 茬 按：此药辑自普文"丹参[1]"条，《别录》载此药。

【校注】

[1] **丹参** 《御览》卷991页2"丹参"条，吴普曰："茎华小方如茬"。《证类》引《别录》作"茬子"。

中品

253 芥蒩[1] 《要术》卷3页51，《御览》卷980页2

一名水苏，一名劳祖[2]，一名鸡苏[3]。

【校注】

[1] **芥蒩** 此药，《证类》《纲目》引《本经》以"水苏"为正名，以"芥蒩"为异名。

[2] **一名水苏，一名劳祖** 《要术》《御览》引吴普文皆有此文。《证类》引前者为《本经》文，引后者为《别录》文。

[3] **一名鸡苏** 《要术》《御览》皆无，据《纲目》引吴普文补。

254 蓼实 《艺文》卷82页14，《御览》卷979页3

一名天蓼[1]，一名野蓼，一名泽蓼[2]。

【校注】

[1] **一名天蓼** 此药名辑自《艺文》，《御览》无。

[2] **一名野蓼，一名泽蓼** 此二药名辑自《御览》，《艺文》无。

255 韭 按：此药辑自吴普文 "麦门冬[1]" 条，《别录》载此药。

【校注】

[1] **麦门冬** 《御览》卷989页2 "麦门冬" 条，吴普曰："叶如韭"。

下品

256 水堇 按：此药辑自 《纲目》卷17 "石龙芮[1]" 条。

【校注】

[1] **石龙芮** 《纲目》"石龙芮" 条释名下有 "水堇"，注出处为 "吴普"。《纲目》校正云："并入菜部水堇"。

三、米部三品

上品

257 胡麻 《御览》卷989页6

一名方金[1]，一名狗虱[2]。神农、雷公：甘，平，无毒。立秋采。

【校注】

[1] **方金** 《证类》、孙本、问本、周本引吴普文同，学本、鲍本、从本、黄本、《纲目》引吴普文作 "方茎"。《证类》引《别录》亦作 "方茎"。

[2] **狗虱** 《证类》引吴普文无，引《别录》文有。

258 麻子中人 《御览》卷995页2

神农、岐伯：辛。雷公、扁鹊：无毒。不欲牡蛎、白薇。先藏地中[1]者，食[2]杀人。

【校注】

［1］**地中** 鲍本、从本、黄本引吴普文作"池中"。

［2］**食** 《纲目》引吴普文作"食之"。

259 麻蓝[1] 《御览》卷995页2

一名麻蕡，一名青羊[2]，一名青葛。神农：辛。岐伯：有毒。雷公：甘。畏牡厉[3]、白薇。叶上有毒，食之杀人。

【校注】

［1］**麻蓝** 《广雅疏证》据《御览》引《吴普本草》云："麻子，一名麻蕴，一名麻蕡。"又，《要术》引崔实《四民月令》云："苴麻之有蕴者"。疑"麻蓝"或为"麻蕴"异名。

［2］**青羊** 孙本引吴普文作"青欲"。《纲目》"麻"引吴普文，无"青羊"异名。

［3］**厉** 《证类》《纲目》"麻"条畏恶作"蛎"。

260 麻勃[1] 《御览》卷995页2

一名麻花[2]。雷公：辛，无毒。畏牡蛎。

【校注】

［1］**麻勃** 明抄本、鲍本、从本、焦本作"勃麻"。

［2］**麻花** 孙本、焦本引吴普文作"花"。

中品

261 生大豆[1] 《御览》卷841页6

神农、岐伯：生温熟寒[2]。九月采。杀乌头[3]毒，并不用玄参[4]。

【校注】

［1］**生大豆** 原本续在"大豆黄卷"条后，今分。

［2］**生温熟寒** 原本脱"温"字，据学本、鲍本、从本补。又，《纲目》"黑大豆"引"岐伯曰"，亦作"生温熟寒"。

［3］**乌头** 鲍本、从本、孙本、黄本作"乌豆"。

［4］**玄参** 孙本、问本、周本、黄本作"元参"。按清代刊本，避康熙皇帝玄烨讳，改"玄"为"元"。

262　大豆黄卷　《御览》卷841页6

神农、黄帝、雷公：无毒，采无时。去面黚。得前胡、乌喙、杏子、牡蛎、天雄、鼠屎共蜜和佳[1]，不欲[2]海藻、龙胆。此法大豆初出土黄牙是也。

【校注】

[1]　**佳**　《纲目》引吴普文作"良"。

[2]　**不欲**　《纲目》引吴普文作"恶"。

263　豉[1]　《北堂书钞》卷146页5

益人气。

【校注】

[1]　**豉**　《证类》《纲目》引作《别录》药。

264　赤小豆[1]　《御览》卷841页6

神农、黄帝：咸。雷公：甘。九月采。

【校注】

[1]　**赤小豆**　《证类》《纲目》引作《本经》药。又，本条，原本续在"大豆黄卷"条后，今分。

265　大麦　《御览》卷838页8

一名矿麦。五谷之盛[1]无毒。治消渴，除热，益气。食蜜为使[2]。

【校注】

[1]　**五谷之盛**　《纲目》引吴普文作"五谷之长也"。

[2]　**食蜜为使**　《证类》引《别录》"大麦"条畏恶作"蜜为之使"。

266　麦种　《御览》卷838页8

一名小麦。无毒。治利而不中[1]。

【校注】

[1] **治利而不中** 此句疑有脱文。《证类》引《别录》"小麦"条作"止痢，不能消热止烦。"

267 陈粟 《御览》卷840页8

神农、黄帝：苦，无毒。治痹热渴[1]。粟养肾气[2]。

【校注】

[1] **治痹热渴** 孙本、问本、周本、黄本作"治脾热渴"。《证类》引《别录》文作"主胃热消渴"。

[2] **粟养肾气** 《证类》引《别录》文作"粟米，主养肾气。"又，"肾"，日本·滋野贞主《秘府略》误作"贤"；"气"，《秘府略》作"气"。

下品

268 黍 《御览》卷842页5

神农：甘，无毒。七月取，阴干[1]。益中补气[2]。

【校注】

[1] **阴干** 《秘府略》引吴普文作"阴干百日"。

[2] **益中补气** 《秘府略》引吴普文作"益中补精"。《证类》引《别录》文作"益气补中"。

269 酒 按：此药辑自吴普文"翘根[1]"条，《别录》载此药。

【校注】

[1] **翘根** 《御览》卷991页8"翘根"条，吴普曰："以作蒸饮酒，病人。"

270 小豆花[1] 《御览》卷841页6

一名应累[2]，一名付月[3]。神农：甘。无毒[4]。七月采，阴干四十日。治头痛，止渴[5]。

【校注】

[1] **小豆花** 《证类》"腐婢"条引《别录》云："即小豆花也"，则"小豆花"即"腐婢"异名。

[2] **一名应累** 孙本、问本、周本、黄本无。

[3] **付月** 孙本、问本、周本、黄本作"腐婢"。

[4] **无毒** 孙本、问本、周本、黄本脱"无"字。

[5] **止渴** 《证类》引《别录》文作"止消渴"。

中篇 《吴普本草》文献源流丛考

一、《吴普本草》概述

《华佗传》中的吴普，虽未说著有本草，但是阮孝绪《七录》载有"吴普本草六卷"，陶弘景《本草经集注》亦云吴普著有本草。由此证明吴普确实是著有本草6卷。虽然《隋书·经籍志》说《吴普本草》6卷已亡佚，但《旧唐书》仍记有《吕氏本草因》6卷，吴普撰。《新唐书》亦载有《吴氏本草因》6卷，吴普撰。可见《吴普本草》并未真正亡佚，而是当时政府未搜罗到此书。所以到唐代此书仍为人们所见到。宋·掌禹锡在他所著的《嘉祐本草》中说："《吴氏本草》……《唐·经籍志》尚存六卷，今广内不复有，惟诸子书多见引据。"从掌氏所言，《吴普本草》6卷，在唐时尚在，到宋代已不能见到了。查《宋史·艺文志》和《崇文总目》均没有《吴普本草》的名字。

按掌禹锡讲，《吴普本草》在宋嘉祐年间（1056—1063）广内不复有，惟诸子多见引据其说。那么掌禹锡所著《嘉祐本草》中，引证《吴普本草》的资料，一定是从诸子书中摘录的。而现存的《重修政和经史证类备用本草》（1957年人卫影印版）载有掌禹锡谨按《吴氏本草》的药物资料，有38条。兹摘录其药名如下。

石钟乳、消石、石胆、太一馀粮、白石英、紫石英、黑符、雄黄、石流黄、磁石、凝水石、阳起石、孔公孽、礜石、菖蒲、术、麦门冬、署预、细辛、卷柏、芎藭、肉苁蓉、当归、百合、知母、狗脊、紫参、乌头、侧子、白及、雷丸、胡麻、龙骨、龙齿、牛黄、雁肪、海蛤、斑苗。

引证《吴普本草》资料的书很多，如《艺文》《初学记》和《要术》等都曾引证过，特别是李昉所著的《御览》引证《吴普本草》资料最多。《御览》卷981～

985木、竹、虫、兽部以及卷986～993药部和卷994～1000百卉部等，均引有《吴普本草》资料，根据统计，该书一共引证《吴普本草》169条。以后《证类本草》《本草纲目》均有引证。到清代孙星衍所辑的《神农本草经》，把各书所引《吴普本草》的资料，全部收入书中。

《御览》所引证《吴普本草》的药物，在药性方面讲得最细致，绝大多数药物性味，都有各家不同的说法。例如丹砂的药性，《吴普本草》记载，"丹砂，神农：甘。黄帝：苦，有毒。扁鹊：苦。李氏：大寒。"又如石钟乳的药性，《吴普本草》记载，"石钟乳，神农：辛。桐君、黄帝、医和：甘。扁鹊：甘，无毒。李氏：大寒。"又如人参的药性，《吴普本草》记载，"人参，神农：甘，小寒。桐君、雷公：苦。岐伯、黄帝：甘，无毒。扁鹊：有毒。"从这些资料来看，《吴普本草》中的药物性味，可能是采集当时各家药性之说汇集而成，也可能是吴普抄袭前人本草而成。若是吴普采集当时各家的药性，那么当时应有神农、黄帝、雷公、岐伯、桐君、扁鹊、医和、李氏、一经等人的药书存在。清代孙星衍在他所辑的《神农本草经·序》中说："自梁以前，神农、黄帝、岐伯、雷公、扁鹊各有成书，魏·吴普见之。"似乎在吴普时代，有各家所著药书存在。不过这里有人疑问，倘若真的有这些书存在，为何梁代阮孝绪所著《七录》中没有这些书的名字呢？

查《隋书·经籍志》所引《七录》的书目，没有黄帝、医和、扁鹊、一经等所著书的书名，但有《岐伯经》10卷和《桐君药录》3卷，及雷公集注的《神农本草经》4卷，李当之《本草经》1卷，《李当之药录》6卷。而《吴普本草》所言诸家药性，是否出于这些书，是值得研究的。

《吴普本草》中引有"桐君"所言的药性，这个"桐君"是不是《隋书·经籍志》所载的《桐君药录》3卷的"桐君"呢？陶弘景在他的《本草经集注·序录》中说："至于药性所主，当以识识相因，不尔何由得闻，至于桐、雷，乃著在于编简。"陶氏又云："《桐君采药录》说其花叶形色。"按照陶氏所讲，"桐君"似乎是最早记载药性的人物之一，可是陶氏又说《桐君药录》是记载药物形态的书，并未讲《桐君药录》记有药性等语。而《御览》的药部亦引证有《桐君药录》，亦说《桐君药录》记载药物花叶茎实形色等最详，并未讲到记有药性的问题。又《唐本草》卷18的"苦菜"条和卷20的"占斯"条，均引有《桐君药录》的资料。所引资料多是药物形态的描述，亦无药性。从这些资料来看，《吴普本草》所引药性中的"桐君"，未必和《桐君药录》是一回事了。

《吴普本草》药性中引有"雷公"，这个"雷公"究竟指的是谁？需要研究。

按陶弘景《本草经集注·序录》中记载，雷公和桐君都是最早记载药性的人。陶序曾这样讲："药性所主，当以识识相因……至于桐、雷，乃著在于编简。"而《素问》亦记载有雷公著《至教论》，《隋书·经籍志》载有雷公集注的《神农本草经》。《唐书·经籍志》载有徐之才《雷公药对》2 卷。李时珍《本草纲目》说："《雷公药对》，在陶氏前已有此书，《吴氏本草》所引《雷公药对》是也，盖黄帝时雷公所著，之才增饰之尔。"根据李时珍的看法，《吴普本草》药性中所引的雷公，即是黄帝时的《雷公药对》。

在陶弘景《本草经集注》中已提到《药对》书名了。陶序云："《药对》四卷，论其佐使相须。"那么陶弘景所讲的《药对》是否就是北齐徐之才的《药对》呢？陶弘景比徐之才年龄大，但徐在北方，陶在南方，南北朝是对峙的局面，所以二家之书是难以互见的。而且陶弘景在《药总决》中说："其后雷公、桐君……二家《药对》，广其主治。"由此可见，陶弘景所讲的《药对》，不是雷公即是桐君，绝非徐之才《药对》。陶弘景所引《药对》，既不是徐之才《药对》，那么《药对》在陶氏以前就有了，这和李时珍所说完全相同。那么李时珍讲《吴普本草》中药性所引的雷公，即是古时《雷公药对》，可能是正确的。

又《吴普本草》中引有"李氏"。《御览》所载《吴普本草》资料有关药性的"李氏"，均作"季氏"。但在《证类本草》中，均作"李氏"。究竟是"李氏"还是"季氏"，可能是古代传抄笔误所致。

这个"李氏"是否就是《李当之本草》呢？按李时珍讲，这个"李氏"就是《李当之药录》的作者。李时珍《本草纲目》说："《李氏药录》，魏·李当之，华佗弟子，修《神农本草》三卷，而世少行。……其书散见吴氏、陶氏本草中。"《隋书·经籍志》引《七录》，有《李当之本草经》1 卷。从这些资料来看，《李当之本草》是很早就有了，而且李当之是华佗的弟子。但是有人说，李当之不是魏时人，是晋时人。他们认为《华佗传》中没有李当之名字。另外陶弘景《本草经集注》的序中又这样讲："魏晋以来，吴普、李当之。"把这句话割裂地研究，说吴普是魏人，而李当之是晋人。例如《古越藏书楼书目》卷 5，记载晋《李当之药录》1 卷。《江苏省立国学图书馆图书总目》记载晋《李当之药录》。《丛书举要》亦记载晋《李当之药录》。这些书目都记载李当之是晋时人。

但是掌禹锡在陶弘景《本草经集注·序录》中注解说："禹锡等谨按，《蜀本草》注云，李当之，华佗弟子，修神农旧经，而世少行用。"《蜀本草》既然讲李当之是华佗的弟子，那么李当之和吴普一定是同时代的人，应是魏人。而《吴普本草》中所引的李氏，可能是指"李当之"而言。

综上所述，《吴普本草》是魏时华佗学生吴普所作。吴普和李当之是同时代的人，均拜华佗为老师。李当之亦著有《药录》和《本草经》，而且李氏书曾被《吴普本草》引用过。

《吴普本草》记载药性最详。所讲的药性，各家的经验不同，如神农、岐伯、雷公、桐君、黄帝、扁鹊、医和、李氏、一经等是也。从各家所讲的药物性味不同，有人推论在吴普时有各家所著的《本草》存在。孙星衍在他所辑的《神农本草经·序》中说："自梁以前，神农、黄帝、岐伯、雷公、扁鹊各有成书，魏·吴普见之。"由此可见，远在公元 2 世纪初，就有这么多的介绍药物性味经验的书籍出现，这足以证明我国在很早就积累了丰富的药物知识。

（本文曾发表于《哈尔滨中医》1960 年 3 月号第 3 卷第 3 期）

二、《吴普本草》成书年代考

宋以前书志多收载《吴普本草》书名，但究竟吴普在什么时候著述本书，向无定论。要了解这个问题，先要弄清吴普生卒时间。关于吴普生卒时间，正史无记载，仅能从《华佗传》中来探讨。

吴普是华佗学生，与华佗是同时代人，故年龄相差不会太远。如能了解华佗生卒时间，也可约略推算吴普生卒的时间。按《华佗传》记载，华佗是被曹操杀害的。华佗被害后不久，曹操爱子仓舒病死，这时曹操后悔地说："吾悔杀华佗，令此儿强死也。"《魏书·邓哀王冲传》记载，仓舒死于建安十三年（208）。那么华佗被害时间，应在 208 年以前。而吴普做华佗的学生，也应在 208 年以前。

又按《华佗别传》记载，吴普在 90 岁时，魏明帝（曹叡）曾经召见吴普作五禽之戏。而魏明帝是三国时魏国第二个皇帝，他在位 13 年，始于 227 年，终于 239 年。那么魏明帝召见吴普之事，是在 227—239 年之间，此时，吴普已是 90 岁了。那么吴普 90 岁时是接近 227 年呢，还是接近 239 年呢？这要从魏明帝召见吴普的时间来决定。而正史对于召见时间无记载。但从情理上来考虑，魏明帝要看吴普作五禽之戏，可能是想获得强身之术，此事可能出在魏明帝年纪更长时。那吴普 90 岁时应是接近 239 年。

从华佗被害的时间 208 年，到吴普 90 岁的时间近 239 年，中间相隔约 30 年，那么吴普在华佗被害时约有 60 岁。据此可以推论吴普著述《吴普本草》，可能是在华佗被害以后,亦即在吴普 60 岁以后,可能在 208 年到 239 年之间,约相当于 3 世纪初。

三、历代文献对于《吴普本草》的记载

《三国志·魏书》[1]同《后汉书·华佗传》[2]中,只说吴普从华佗学医,但未讲吴普著有本草。到梁代阮孝绪著《七录》[3]时,开始记有《吴普本草》6 卷。陶弘景作《本草经集注》[4]时,在序录中亦提到吴普著述本草。以后《隋书·经籍志》[5]《旧唐书·经籍志》[6]《新唐书·艺文志》[7]《通志·艺文略》[8]等,均记有《吴普本草》6 卷。根据这些资料来看,吴普确实著述过本草,并说吴普著的本草是 6 卷。但是宋代嘉祐年间掌禹锡等编修《嘉祐本草》时,引用前代文献,对《吴普本草》的卷数,有两种不同的说法,掌禹锡按《旧唐书·经籍志》记载是 6 卷[9],按《蜀本草》注吴普撰《本草》1 卷[10]。明代李时珍《本草纲目》[11],亦转引韩保昇(《蜀本草》编修人)之言,说吴普著本草是 1 卷。古代图书目录均记载《吴普本草》是"六卷",仅有韩保昇编《蜀本草》注为"一卷"。此可能是后世传抄舛错,把"六"字误刻为"一"字。

【注】

[1] 陈寿.《三国志》,卷 29;《魏书》卷 29,第 4501~4503 页。商务版,缩印百衲本二十四史。

[2] 范晔.《后汉书》,卷 82 下,"列传"第 72 下,第 3786 页。商务版,缩印百衲本二十四史。

[3] 丹波元胤.《医籍考》,卷 12,第 163 页。1956 年,人卫版。

[4] 陶弘景.《本草经集注》,第 3 页。1955 年,群联出版社出版。

[5] 长孙无忌.《隋书》,卷 34,"经籍志"第 29,第 11341 页。商务版,缩印百衲本二十四史。

[6] 刘昫.《旧唐书》,卷 47,"经籍志"27,第 14444 页。商务版,缩印百衲本二十四。

[7] 欧阳修.《新唐书》,卷 59,"艺文志"49,第 15814 页。商务版,缩印百衲本二十四史。

[8] 冈西为人.《宋以前医籍考》,第 1349 页。1958 年,人卫版。

[9] 唐慎微.《重修政和经史证类备用本草》,第 39 页。1957 年,人卫影印版。

[10] 唐慎微.《重修政和经史证类备用本草》,卷 1 序例上,第 29 页。1957 年,人卫影印版。

[11] 李时珍.《本草纲目》,卷 1 序例上,第 332 页。1957 年,人卫影印版。

四、《吴普本草》流传的情况

吴普所著的本草书,有一定的学术价值,很受后世学者的重视。如梁代陶弘景编《本草经集注》[1]时，曾参阅过《吴普本草》。隋唐时代的学者，在编修类书[2]时，亦曾经引录。如欧阳询等编著的《艺文》[3]、徐坚等编著的《初学记》[4]，均引有《吴普本草》的资料。古代农业技术书籍如贾思勰著的《要术》[5]，也参考过《吴普本草》。

唐代唐高宗太子李贤，注《后汉书·延笃传》引《吴普本草》"牛黄"条注云："牛黄，味苦，无毒。牛出入呻吼者有之。夜有光，走牛角中，牛死入胆中，如鸡子黄。"

宋代的文人和医学家对《吴普本草》亦很重视，他们著书时，多直接或间接引证过《吴普本草》。例如宋初太平兴国年间（976—983）李昉等所撰《御览》[6]，引证《吴普本草》资料最多。自《御览》卷981～985木、竹、虫、兽部、卷986～993药部和卷994～1000百卉部等，引证的《吴普本草》资料，按药名数目计算，有193味药，剔除其中重复的药物，如石龙芮、蠡实等，仍有191味药。

历代本草亦曾经直接或间接引证过《吴普本草》。例如，《蜀本草》的"假苏"条引《吴氏本草》云："假苏名荆芥，叶似落藜而细，蜀中生啖之。"[7]宋嘉祐年间掌禹锡编修的《嘉祐本草》，引证《吴普本草》的药物有40余味[8]。苏颂编修的《本草图经》，引证《吴普本草》的药物有6味[9]。唐慎微著《证类本草》时引证《吴普本草》的药物有两味[10]。以后李时珍著《本草纲目》时，把前人引证《吴普本草》的资料大都收入书中。正如《补后汉书·艺文志》[11]所说："《吴普本草》六卷。普，广陵人，从佗学。案《初学记》《北堂书钞》《御览》《证类本草》《本草纲目》，并引《吴普本草》。"

从上述各种资料来看，《吴普本草》流传是很久的。

【注】

[1] 陶弘景.《本草经集注》，第3页。1955年，群联出版社出版。

[2] 所谓类书，就是随类相从的书。它是采摘群书，分门别类加以编排，以利于检寻的书籍。

[3]《艺文》引证《吴普本草》的药物有"术""菖蒲""署预""伏翼""萤火""樱桃""百合"等。

[4]《初学记》引《吴普本草》的药物有"石龙芮"等。

[5]《要术》引《吴普本草》的药物有"龙眼"等。

[6]《御览》引《吴普本草》的药物有"大黄""巴豆""甘遂"等。

[7]《蜀本草》原书不存，这个资料是从《重修政和经史证类备用本草》卷28，菜部中品"假苏"条下（1957年人卫影印版第513页上栏倒8行）摘录的。

[8]《嘉祐本草》原书不存，它的内容全部被保留在《证类本草》中。1957年人卫影印版的《重修政和经史证类备用本草》即载有"臣禹锡等谨按吴氏云"等资料，这种资料就是《嘉祐本草》引证《吴普本草》的标记。检索全书引证《吴普本草》的药物，有"石钟乳""消石""紫石英"等40余条。其中有些药物如"青石英""赤石英""黑石英"等，仅有《嘉祐本草》见引，其他书未见引。

[9] 苏颂的《本草图经》，原书不存，它的内容亦由《证类本草》保存下来。1957年人卫影印版的《重修政和经史证类备用本草》中的"图经曰"标记，即属《本草图经》的资料。检寻《本草图经》引《吴普本草》的药，有"黄芩"（第207页上栏倒5行）、"山茱萸"（第327页上栏1行）、"芫花"（第360页上栏倒3行）、"芫花根"（第360页下栏3行）、"樱桃"（第466页上栏倒7行）、"紫石英"（第93页上栏9行）。

[10] 唐慎微的《证类本草》因增修翻刻的不同，署名亦各异。1957年人卫影印版的《重修政和经史证类备用本草》，即是《证类本草》中主要的一种。该书第463页"大枣"同第466页"梅实"两药，有唐慎微引证《吴普本草》的资料。

[11] 冈西为人.《宋以前医籍考》，第1350页。1958年，人卫版。

五、《吴普本草》散失的时间

《吴普本草》自三国问世后，经过晋、南北朝到隋、唐，都为人们传抄参考应用。唐代的类书——《艺文》《初学记》，亦加以引用。唐代国家图书目录如《旧唐书·经籍志》，亦载有《吴普本草》的书名。所以《吴普本草》在唐代尚有流行。

《吴普本草》到宋代是否仍有流行，是值得讨论的。因宋代各种图书目录，都没有收载《吴普本草》书名。但是宋代类书《御览》和本草都引有《吴普本草》的资料。

《御览》卷981～1000共20卷，包括木、竹、虫、兽、药物、百卉等部中，引证《吴普本草》的药名，有190余种。《御览》是在宋初太平兴国年间，由李昉等以北齐·祖孝徵等《修文殿御览》为蓝本，参考诸类书编辑而成的[1]。那么《御览》所引的《吴普本草》资料，是承袭《修文殿御览》的旧文呢，还是从诸类书转引的呢，还是从《吴普本草》原书录入的呢？这是值得研究的。

《御览》所引《吴普本草》资料，说是全部承袭《修文殿御览》旧文，这也不尽然。因《御览》是在《修文殿御览》基础上，参考诸类书编修而成，并增入大量新的资料。所以《御览》引证《吴普本草》资料，可能不是完全承袭《修文殿御览》的旧文。而且《御览》所引《吴普本草》药物，有两类标题，有些药物题署"吴氏木草曰"，有些药物题署"吴氏本草经曰"。例如丹砂、朴消、雄黄、人参等，均标题"吴氏本草曰"；消石、石流黄、菊花、柴胡等，则标题"吴氏本草经曰"。《御览》所引《吴普本草》药物共有190余种，其中有51种标"吴氏本草经曰"，有140余种标"吴氏本草曰"。这就提示《御览》所引《吴普本草》的药物，不是同一个来源，同时也说明不是完全承袭《修文殿御览》的旧文。

《御览》所引《吴普本草》的药物，是不是从唐代诸类书——《艺文》《初学记》等书中转引的呢？从药物收录的数量上，可以否定这个问题，因唐代诸类书所引《吴普本草》的药物，远不及《御览》多。

《御览》所引《吴普本草》的药物，既不是从唐代类书中转引，又不是完全抄袭《修文殿御览》旧文，那么《御览》所引《吴普本草》的药物，其中可能有一部分是参阅《吴普本草》原书，然后增补而成的，很可能《吴普本草》在北宋初年还没有完全散佚。

到北宋嘉祐年间掌禹锡编修《嘉祐本草》时，引证《吴普本草》药物很多，这些引证究竟是参阅《吴普本草》原书而来，还是从别的书转引而来，殊难断定。但掌禹锡列举的参考书，有《吴普本草》。可是掌禹锡在《吴普本草》书名下注了这句话："《吴氏本草》……《唐·经籍志》尚存六卷，今广内不复有，惟诸子书多见引据。"因而有人认为掌禹锡所引《吴普本草》药物，不是参阅《吴普本草》原书，乃是从别的书转引而来。但是这里也有几点疑问。第一，掌禹锡在列举参考书时，开头即说："补注本草所引书传，内医书十六家援据最多，今取撰人名氏及略述义例，附于末卷，庶使览之者，知所从来。"[2]这段序文是说掌禹锡阅过哪些参考书，使读者知道《嘉祐本草》所引据资料的来源。第二，掌禹锡既把《吴普本草》列为参考书，那么《吴普本草》总有书存在才行。第三，掌禹锡虽在《吴普本草》书名下注云："今广内不复有"，但不一定是说掌禹锡手边一本也没有。倘若掌禹锡手边无此书，那么掌氏不会把《吴普本草》列为参考书之一。其注文应说散佚，不应说"广内不复有"。第四，掌禹锡在《嘉祐本草》中所引据的《吴普本草》资料，有些资料既不同于《御览》所引[3]，又不同于诸类书所引，这也提示掌禹锡所引据《吴普本草》资料，是参阅《吴普本草》原书而来。

到唐慎微著《证类本草》时，仍引据《吴普本草》的书名和药物。在《证类本草·所出经史方书》的目录中，即有《吴氏本草》[4]。在《证类本草》卷23，果部中品"大枣"和"梅实"二药，均引有《吴氏本草》的书名[5]。根据这种资料来看，在唐慎微著《证类本草》时，《吴普本草》仍有存在的可能。唐慎微著《证类本草》是在元祐年间（1086—1093），那么《吴普本草》在公元 11 世纪初似乎尚未完全散佚。倘若是完全散佚，那么唐慎微不会凭空列举《吴普本草》的书名。究竟事实是否如此，这也难以肯定。

总之，《吴普本草》在唐代尚存在，是可以肯定的。到北宋初年仍有存在的可能。《御览》所引据《吴普本草》的资料，很可能是参阅《吴普本草》原书而来。至于《嘉祐本草》和《证类本草》所引据《吴普本草》资料，是从《吴普本草》原书而来呢，还是从诸子书转引而来呢？殊难断定。因此，《吴普本草》散佚的时间，很可能是在北宋年间。

【注】

[1] 郝建梁，等.《中国历史要籍介绍及选读》，第 166 页。1957 年，高等教育出版社。

[2] 唐慎微.《重修政和经史证类备用本草》，第 39 页。1957 年，人卫影印版。

[3] 掌禹锡所引《吴普本草》资料，现被保留在《证类本草》中。1957 年人卫影印版《重修政和经史证类备用本草》，即有此项资料。兹列举该书资料几例如下。该书第 92 页"白石英"条下，掌禹锡按吴氏云："青石英如白石英，青端赤棱者是。赤石英赤端白棱者是，赤泽有光，味苦，补心气。黄石英黄色如金，在端者是。黑石英黑泽有光。"再检阅《御览》卷987 第 2 页下"白石英"条，所引《吴氏本草》曰等语，即无此文。类似这种例子还有《证类本草》第 83 页"钟乳"条，掌禹锡引吴氏云："钟乳，一名虚中。神农：辛。桐君、黄帝、医和：甘。扁鹊：甘，无毒。"《御览》卷987"钟乳"条，引"吴普本草曰"，并无此文。

又掌禹锡引《吴普本草》有"术""百合"等条，而《御览》引的无"术""百合"。以上事例都证明宋代掌禹锡所引《吴普本草》资料，不是转引《御览》。这就说明，《吴普本草》在北宋时未全亡佚。

[4] 唐慎微.《重修政和经史证类备用本草》，第 3 页。

[5] 唐慎微.《重修政和经史证类备用本草》，第 463 页上栏倒 5 行、第 467 页下栏第 2 行。

六、《吴普本草》内容的探讨

《吴普本草》原书虽然失传，但它的部分内容，通过《要术》《艺文》《初学记》《御览》《证类本草》《本草纲目》等书，被保存下来一些。掌禹锡在《嘉祐本草》中说："《吴氏本草》……其说药性寒温、五味，最为详悉。"[1]李时珍《本草纲目》说："《吴氏本草》，其书分记神农、黄帝、岐伯、桐君、雷公、扁鹊、华佗弟子李氏，所说性味最详。"[2]《补三国艺文志》卷 3 说："《吴普本草》六卷，

91

按《御览》引《吴氏本草》凡数十条，其中言诸药气味，有引医和者……"[3]

上述资料，只能说明《吴普本草》载药有 441 种，对于药性寒、温、五味记载甚详。至于《吴普本草》一般内容情况，仍不明白。要了解《吴普本草》的内容，必须把有关《吴普本草》资料及其药物，收集在一起，进行分析、比较和研究，才能了解其内容。为此先来把有关《吴普本草》的药物，补辑在一起，然后再来研究。

《吴普本草》的药物，被《御览》引据最多，其次是掌禹锡所引（现存于《证类本草》中），至于《要术》《艺文》《初学记》等书引证很少。而《本草纲目》亦是转录《证类本草》。现在就根据这些书中所引的《吴普本草》药物，辑录出 200 余条来研究。

从各书所补辑的《吴普本草》的资料来看，诸书在引据《吴普本草》时，都不是完整援引，乃是摘录片断。例如，《御览》卷 992 "射干"条下引《吴普本草》曰："射干，一名黄远"，这仅引别名。《御览》卷 973 "木瓜"条下，引《吴氏本草》曰："木瓜生夷陵"，这仅引产地。《御览》卷 970 "梅核"条下引《吴氏本草》曰："梅核明目益气不饥"，这仅引主治功用。这些片断的资料，还不能看出《吴普本草》各个药的内容，必须把这些片断的资料综合起来看，结合援引比较完整的药物资料来研究，才能看出《吴普本草》对各个药叙述的情况。

从各书所补辑 200 余味药的内容来看，《吴普本草》并不单纯地讲药物寒、热、温、凉等药性，而是对药物的名称、别名、产地、性味、主治、功用、形态、采集、加工等均有介绍，其中对于名称和性味介绍最多。这种叙述方式，和《证类本草》中的黑底白字的《神农本草经》文，叙述方式截然不同。《神农本草经》对于药物性味的介绍不及《吴普本草》详细，而且对于药物形态或生态全无记载，而《吴普本草》对于这一方面的记载倒很详细。例如，"石钟乳"的生成及其形态在《神农本草经》中全无记载，但在《吴普本草》中介绍很详细，说石钟乳由山谷阴处岸下聚溜汁所成，如乳汁，黄白色，空中相通。这些记载，对于药物的认识和鉴别，有重要意义。

另外，从对补辑 200 余味药物的研究中，还可以看出，《吴普本草》对于药物内容的叙述似有一定程序，首先介绍药物的名称，以下依次为别名，次性味，次产地，次生长情况，次外部形态，次内部结构，次采集时间，次采集后加工情况，次主治疗效。此外某些药物，还记有配伍禁忌。例如，"大豆黄卷"条，得前胡、乌喙、杏子、牡蛎、天雄、鼠矢共蜜和佳，不欲海藻、龙胆。虽然不是每个药都按照这种程序来叙述，但是大多数药是按照这个格式来介绍的。现在举些例子如下。

葳蕤，一名王马，一名节地，一名虫蝉，一名乌萎，一名荧，一名玉竹。神农：苦。一经：甘。桐君、雷公、扁鹊：甘，无毒。黄帝：辛。生太山山谷。叶青黄，相值如姜。二月、七月采。治中风暴热，久服轻身。（《御览》卷 991 页 7 上。）

大黄，一名黄良，一名火参，一名肤如。神农、雷公：苦，有毒。扁鹊：苦，无毒。季氏：小寒。为中将军。或生蜀郡北部或陇西。二月卷生，生黄赤叶，四四相当，黄茎，高三尺许，三月华黄，五月实黑。三月采根，根有黄汁，切，阴干。（《御览》卷 992 页 4 下。）

白头翁，一名野丈人，一名奈何草。神农、扁鹊：苦，无毒。生嵩山川谷。治气狂寒热，止痛。

麻蕡，一名青羊，一名青葛。神农：辛。岐伯：有毒。雷公：甘。畏牡蛎，白薇。叶上有毒，食之杀人。（《御览》卷 995 页 2 下。）

从葳蕤、大黄、白头翁、麻蕡等例来看，《吴普本草》对于药物叙述的程序，大致是：名称→别名→性味→产地→生长情况→生态→形态→采集时间→加工→主治→畏恶→毒性。

《吴普本草》收载药物数目，按掌禹锡所言，是 441 种[1]。这 441 种如何排列？如何分类？不得而知。根据陶弘景《本草经集注·序录》所说，吴普曾经修订过《神农本草经》，使三品混糅，冷热舛错，草石不分，虫树无辨[4]。据此推测，《吴普本草》对于药物的分类，似无一定形式，至于《吴普本草》6 卷内容如何？目前已无从考察了。

【注】

[1] 唐慎微.《重修政和经史证类备用本草》，第 39 页。1957 年，人卫影印版。

[2] 李时珍.《本草纲目》，第 332 页。1957 年，人卫影印版。

[3] 冈西为人.《宋以前医籍考》，第 1350 页。1958 年，人卫版。

[4] 陶弘景.《本草经集注》，第 3 页。1955 年，群联出版社影印版。

七、《吴普本草》的价值

关于《吴普本草》的价值有下列几点。

（一）《吴普本草》在历史上的价值

吴普是药学史上有史可考的较早的一个人[1]。当然在吴普以前，肯定是有人著述本草的，但是叫什么名字呢？著的本草又叫什么名字呢？历史上无记载。《神农本草经》著述的时间，一定比《吴普本草》要早，是谁著的呢？历史上无记载。而吴普著述本草，是有史可考的。

《后汉书·华佗传》记载："普依准佗疗，多所全济。"[2]又《华佗别传》说："普从佗学，微得其力（"力"疑"方"字之误）。"[3]这都说明吴普跟华佗学医，真正学到了华佗的本领，所以吴普治病时，按照华佗所传授的方法去治，都能成功。当华佗被曹操杀害后，华佗的医学就是靠吴普编写的《华佗药方》和《吴普本草》而保存下来一部分。因此，《吴普本草》在当时，对医学起着传播作用。

再从《吴普本草》所载药性来看，吴普曾引证过神农、黄帝、雷公、桐君、岐伯、医和、李氏等诸家药性，这也说明，在吴普时代，还有各家所著的医书存在。正如孙星衍在他所辑的《神农本草经·序》中所说："自梁以前，神农、黄帝、岐伯、雷公、扁鹊各有成书，魏·吴普见之，故其说药性主治，各家殊异。"[4]吴普引证各家药性的事例，也正是说明《吴普本草》是总结了当时药学的成果。

由于《吴普本草》有一定的历史意义，后世研究本草的学者，都很重视《吴普本草》。例如，掌禹锡著《嘉祐本草》时，列举历代本草，即把《吴普本草》排在第 5 位[5]。又宋·唐慎微著《证类本草》时，列举历代医药参考书有 247 家，而《吴普本草》列在第 29 位[6]。李时珍著《本草纲目》时，列举历代本草 42 种，而《吴普本草》居第 6 位[7]。近人陈邦贤所著《中国医学史》，在该书第 5 章"魏晋南北朝的医学"中，亦提到华佗弟子的《吴普本草》6 卷[8]。这些都说明《吴普本草》有一定的历史价值。

（二）《吴普本草》在学术上的价值

《吴普本草》问世以后，除对当时医药知识起一定影响外，对后世医药学家和文学家，也有一些影响，并且引起了他们重视。像隋、唐时代一些学者，如欧阳询、虞世南、徐坚等人，对《吴普本草》都有一定的重视，在他们所编写的类书中，各自都引证了《吴普本草》的资料。像唐·欧阳询等编撰的《艺文》、后魏·贾思勰著的《要术》、北齐·祖孝徵等编撰的《修文殿御览》、宋·李昉等编撰的

《御览》，都引有《吴普本草》的资料。后世本草学家，对《吴普本草》亦很重视，像韩保昇著的《蜀本草》[9]、掌禹锡著的《嘉祐本草》[10]、苏颂著的《本草图经》[11]、唐慎微著的《证类本草》[12]、李时珍著的《本草纲目》等，大都直接或间接地引证了《吴普本草》的资料。倘若《吴普本草》在学术上没有一定的价值，这些学者们是不会去引用的。特别像欧阳询、贾思勰、李昉等，都不是医学家，他们是各个时代的文人或行政领导人，而他们对《吴普本草》有所重视，足证《吴普本草》在学术上是有一定价值的。

（三）《吴普本草》的实用价值

从《吴普本草》的内容来看，吴普对每个药叙述的方法，是有一定程序的，即按药物名称、别名、性味、产地、生长情况、外部形态、采集时间、加工情况、主治疗效、药物畏恶等次序来编写。这种编写方法是有系统的，而且很合乎科学的。

从《吴普本草》各个药所记的"异名"来看，可以了解我国药物的创造和发明，是来自劳动人民。试看"贯众"条下，《吴普本草》记有 8 个异名，即贯来、渠母、贯钟、贯中、伯芹、药藻、扁符、黄钟。同一个药，为什么有这么许多别名呢？那就是说，贯众被劳动人民发现当作药用，不是在哪一地区，或某一时代，被某一人所发现的，而是在不同地区、不同时代，经过很多人发现的。由于在不同地区和不同时代发现了药用贯众，也就产生了各个地区和各个时代的异名。到了交通发达后，由于劳动人民经验的交流，才认识到这些不同名称的药物，都是贯众。所以药物别名繁多，正是说明了很多地区和很多劳动人民发现了同一种药物。而《吴普本草》中几乎每个药都有很多别名，这也说明《吴普本草》的资料，是来自劳动人民的创造发明，当然是有实践的价值。

再从药物性味来看，《吴普本草》对于药物性味寒、热、温、凉记述最详，这也是《吴普本草》最突出的一点。中药性味是临床用药的重要依据。像《神农本草经》说："治寒以热药，治热以寒药。"[13]《内经》也有类似的说法："寒者热之，热者寒之。"[14]这都说明药物在临床应用时，必须掌握药物的性味才行。不明药性胡乱投药，是很危险的。正如晋代王叔和在《伤寒论·序》中所说："桂枝下咽，阳盛则毙；承气入胃，阴盛则亡。"由此可见，中药的性味，自古即受医家重视。而《吴普本草》对于药物性味特别重视，并把当时各家对于药物性味累积的经验，全都收入书中，注明寒、热、温、凉与酸、苦、辛、甘、咸，并标明有毒、无毒，这些记载，是有一定的实践价值。

从《吴普本草》对于药物形态的描写来看，吴普在做学问的方法上，是很细致而科学的。吴普对于药物的形态，都按照实际情况来描述，这是很好的理论联系实际的事例。例如石钟乳的形态，《吴普本草》记述很详，说石钟乳生山谷阴处，溜汁所成，如乳汁，黄白色，空中相通。倘若不是经过长时间观察，就不会知道石钟乳是聚溜汁所成；不折断石钟乳看一看，又怎么会知道石钟乳是空中相通的呢？这是吴普通过实践观察的结果。这种治学方法——从实际出发，理论联系实际，即使到今日，仍有很大的现实意义。而且所记的药物形态，对于人们认识药物，亦有很好的帮助，同时对于药物鉴别，也有一定价值。

《吴普本草》对于药物采集时间，记载颇为详细。例如，《吴普本草》说，女萎要在二月、七月采，防葵要在三月采，大黄要在三月采根，黄芩在二月、九月采，防己二月、八月、十月采根，枳实九月、十月采，山茱萸五月采。这些资料，对于药物采集，有实践意义，药物采集时间不对头，往往直接影响疗效。

《吴普本草》对于药物采集后加工情况，亦有介绍。例如，《吴普本草》对牡丹记有二月、八月采，日干；枳实九月、十月采，阴干；大黄三月采根，根有黄汁，切，阴干；小豆花，七月采，阴干，四十日；侧子八月采，阴干。这种加工方法，对于药物发挥治疗作用和保存，都有实践价值。

此外，《吴普本草》对于药物畏恶七情，记述颇多。例如鹜肪杀诸药石毒；龙角畏干漆、蜀椒、理石；生大豆杀乌头毒，并不用玄参；大豆黄卷得前胡、乌喙、杏子、牡蛎、天雄、鼠矢，共蜜和佳，不欲海藻、龙胆。这些畏恶七情的资料，对于药物复合的应用，都有一定的意义。某些药合用能增强药物疗效，那是最好；某些药合用，会发生不良反应，那就不能合用了。

（四）《吴普本草》具有较早的植物学价值

《吴普本草》不仅是古代本草文献，而且也是古代较早的植物学文献。《吴普本草》对于许多植物的生长、开花、结实，及形态和产地等，都有记载。例如"山茱萸"条，《吴普本草》说："山茱萸叶如梅，有刺毛，二月花如杏，四月实，如酸枣赤，五月采实。"又如黄芩，《吴普本草》曰："二月生赤黄，叶两两四四相值，其茎中空，或方圆，高三四尺，四月花，紫红赤，五月实黑根黄。"又如水萍，"生池泽水上，叶圆小，一茎一叶，根入水，五月花白，三月采日干之。"

类似这样的例子很多，对于植物药生长发展的过程，都作了全面的描述，这种描述的方式，和如今的植物学很相似。因此，可以说《吴普本草》具有较早的植物学价值。

【注】

[1] 认为吴普是有史可考的较早的一位本草的作者，这是比较确实的。和吴普同时的李当之，也著过本草，但是《李当之本草》世少行用，没有《吴普本草》确实可靠。1958 年上海第一医学院中医教研组所编的《祖国医学讲义》第 29 页说："陶弘景是我国有史可考的第一位著本草的作者。"其实陶弘景不能算我国有史可考的第一位本草的作者。孙星衍辑《神农本草经》书首，有邵晋涵写的序，序中说："贾公彦引《中经簿》有《子仪本草经》一卷。"《隋书·经籍志》载有《蔡邕本草》7 卷。只是子仪、蔡邕等本草，诸书皆未见引。

[2] 范晔.《后汉书》卷82下，"列传"第72下，第3786页。商务版，缩印百衲本二十四史。

[3] 原书佚，据《后汉书·华佗传》李贤注文引。

[4] 孙星衍，等.《神农本草经》序言，第1页。1955年，商务版重印。

[5] 唐慎微.《重修政和经史证类备用本草》卷1，第35页。商务版，缩印金泰和刊本，四部丛刊初编子部。

[6] 唐慎微.《重修政和经史证类备用本草》，第3页。1957年，人卫影印版。

[7] 李时珍.《本草纲目》卷1序例上，第332页。1957年，人卫影印版。

[8] 陈邦贤.《中国医学史》，第128页。1957年，商务版。

[9] 《蜀本草》原书已失传，《蜀本草》引证《吴普本草》资料，见录于《证类本草》（1957年人卫影印版的《重修政和经史证类备用本草》卷28菜部中品，第513页）"假苏"条，有掌禹锡按《蜀本草》注引《吴氏本草》云："假苏名荆芥，叶似落藜而细，蜀中生噉之。"由此证明《蜀本草》引证过《吴普本草》。

[10] 《嘉祐本草》原书已不存，它的资料存于《证类本草》中。在《证类本草》注文里，凡有"掌禹锡谨案"等标记，均是《嘉祐本草》的资料。掌禹锡引证《吴普本草》资料有40余条。

[11] 苏颂《本草图经》原书已佚，它的内容见录于《证类本草》中。1957年人卫影印版的《重修政和经史证类备用本草》中，凡有"图经曰"标记的，就是《本草图经》的资料。

[12] 唐慎微.《重修政和经史证类备用本草》，第463页"大枣"条同第466页"梅实"条，均引有《吴普本草》资料。1957年，人卫影印版。

[13] 日本森立之.《神农本草经》，第17页。1957年，上海卫生出版社影印。

[14] 王冰注.《黄帝内经素问》卷22，第482页。1955年，商务版。

八、《吴普本草》引诸家本草药性考

吴普修订《本草经》时，曾引用过多种本草书的药性，兹讨论如下。

《证类本草》卷 1 页 29 梁·陶弘景序云："是其《本经》所出郡县，乃后汉时制，疑仲景、元化等所记。……魏晋以来，吴普、李当之等更复损益，或五百九十五，或四百四十一，或三百一十九。"

按陶弘景所云，吴普、李当之等是修过《本草经》的。又掌禹锡《嘉祐本草·补注所引书传》中云："《吴氏本草》，魏·广陵人吴普撰。普，华佗弟子，修《神农本草》成四百四十一种。"掌禹锡所言《吴氏本草》载药 441 种，与陶氏所云吻合。据此可以确定吴普修订过《神农本草经》，其书载药 441 种，比《神农本草经》365 种要多 76 种。吴普修订本草引用过哪些书呢？这可从《吴普本草》药物条文来研究。

《吴普本草》原书已佚，其中部分内容尚存于诸类书及诸本草中，尤以《御览》和《证类本草》援引最多。清代孙星衍所辑《神农本草经》，曾将《御览》所引《吴普本草》药物条文，附在《神农本草经》药物条文之后。兹将该书所附的《吴普本草》中有关各家药性列表如下。

孙本卷：页	孙本药名	神农本草经正文药性	吴普引用各家所言药性							
			神农	黄帝	岐伯	雷公	桐君	扁鹊	李氏	其他
1：3	丹砂	味甘微寒	甘	苦有毒				苦	大寒	
1：4	玉泉	甘平	甘		甘	甘			平	
1：5	石钟乳	甘温	辛	甘				甘	甘无毒	医和味甘
1：5	涅石	酸寒	酸		酸	酸无毒		咸		
1：6	消石	苦寒	苦					甘		
1：6	朴消	苦寒	无毒		无毒	无毒				
1：7	石胆	酸寒	酸小寒				辛有毒	苦无毒	大寒	
1：7	空青	甘寒	甘							一经味酸
1：8	太一餘粮	甘平	甘平		甘平	甘平		甘无毒	小寒	
1：9	白石英	甘微温	甘	无毒	无毒	无毒		无毒		
1：9	紫石英	甘温	甘平		甘无毒	大温		甘平	大寒	
1：10	青符		甘			酸无毒	辛无毒		小寒	正文作一条，名五色石脂
1：10	赤符		甘	无毒		甘		无毒	小寒	
1：10	黄符					苦			小寒	
1：10	白符				酸无毒	酸无毒	甘无毒	辛	小寒	
1：10	黑符						甘无毒			
1：10	白青	甘平	甘平			酸无毒				
1：10	扁青	甘平	小寒无毒			小寒无毒				

孙本卷:页	孙本药名	神农本草经正文药性	吴普引用各家所言药性							
			神农	黄帝	岐伯	雷公	桐君	扁鹊	李氏	其他
1:12	人参	甘微寒	甘小寒	甘无毒	甘无毒	苦	苦	有毒		
1:14	牛膝	苦酸	甘	甘		酸无毒		甘	温	一经味酸
1:15	女萎	甘平	苦	辛		甘无毒	甘无毒	甘无毒		一经味甘
1:16	防葵	辛寒	辛小寒	苦无毒	苦无毒	苦无毒	无毒	无毒		
1:16	茈胡	苦平	苦无毒		苦无毒	苦无毒				
1:17	麦门冬	甘平	甘平	甘无毒	甘平	甘无毒	甘无毒	无毒	甘小温	
1:17	独活	苦平	苦无毒	苦无毒						
1:19	署豫	甘温	甘小温			甘无毒	甘无毒			
1:20	细辛	辛温	辛小温	辛小温	无毒	辛小温	辛小温		小寒	
1:21	石斛	甘平	甘平					酸	寒	
1:22	菴藺子	苦微寒	苦小温 无毒		苦小温 无毒	苦小温 无毒	苦小温 无毒		温	
1:23	蓍蒉子	辛微温	辛			辛		辛	小温	另外又有神农无毒
1:25	卷柏	辛温	辛			甘	甘			
1:25	芎䓖	辛温	辛无毒	辛无毒	辛无毒	辛无毒		酸无毒	生温熟寒	
1:26	黄连	苦寒	苦无毒	苦无毒	苦无毒	苦无毒			小寒	
1:26	络石	苦温	苦小温			苦无毒	甘无毒	甘无毒	大寒	
1:27	肉苁蓉	甘微温	咸	咸		酸小温				
1:28	防风	甘温无毒	甘无毒	甘无毒	甘无毒	甘无毒	甘无毒	甘无毒	小寒	
1:28	香蒲	甘平	甘			甘				
1:30	丹参	苦微寒	苦无毒	苦无毒	咸	苦无毒	苦无毒	苦无毒	大寒	
1:33	茵陈	苦平	苦无毒	辛无毒		苦无毒				
1:34	沙参	苦微寒	无毒	无毒	咸			无毒	大寒	
1:35	徐长卿	辛温	辛			辛				
1:35	石龙刍	苦微寒	小寒	苦无毒		苦无毒		辛无毒	小寒	
1:36	云实	辛温	辛小温	咸		苦				
1:36	王不留行	苦平	苦平		甘	甘				
1:36	升麻	甘辛	甘							
1:37	青蘘	甘寒	苦			甘				
1:37	淮木	苦平	无毒			无毒				
1:40	茯苓	甘平				甘无毒	甘	甘无毒		
1:44	蕤核	甘温	甘平无毒			甘平无毒				
1:45	龙齿		大寒						大寒	原附在"龙骨"条下
1:47	雁肪	甘平	甘无毒			甘无毒	甘无毒			

孙本 卷:页	孙本 药名	神农本草经 正文药性	吴普引用各家所言药性							
			神农	黄帝	岐伯	雷公	桐君	扁鹊	李氏	其他
1:48	石蜜	甘平	甘气平			甘气平				
1:49	桑螵蛸	咸平	咸无毒							
1:50	海蛤	苦平	苦		甘			咸		
1:54	胡麻	甘平	甘无毒			甘无毒				
1:54	麻蕡	辛平	辛		有毒	甘				麻勃有"雷公:辛无毒"
1:54	麻子中人		辛		辛	无毒		无毒		原附在"麻蕡"条下
2:59	雄黄	苦平寒	苦							
2:59	石流黄	酸温	咸有毒	咸有毒		咸有毒		苦无毒		医和味苦无毒
2:60	凝水石	辛寒	辛		甘无毒			甘无毒	大寒	医和味甘无毒
2:61	阳起石	咸微温	酸无毒		咸无毒	咸无毒	咸无毒	酸无毒	小寒	
2:61	孔公孽	辛温	辛		咸			酸无毒		
2:63	葛根	甘平	甘							
2:64	当归	甘温	甘无毒	甘无毒	辛无毒	辛无毒	甘无毒	甘无毒	小温	
2:64	麻黄	苦温	苦无毒			苦无毒		酸无毒	平	
2:64	通草	辛平	辛	辛		苦				
2:65	芍药	苦平	苦		咸	酸	甘无毒		小寒	
2:65	蠡实	甘平	甘辛无毒	甘辛无毒						
2:66	玄参	苦微寒	苦无毒	苦无毒	咸	苦无毒	苦无毒	苦无毒	寒	
2:67	知母	苦寒	无毒			无毒				
2:69	淫羊藿	辛寒	辛			辛			小寒	
2:69	黄芩	苦平	苦无毒	苦无毒		苦无毒	苦无毒	苦无毒	小温	
2:69	狗脊	苦平	苦	甘无毒	甘无毒	甘无毒	甘无毒	甘无毒	小温	本条有"岐伯经云"
2:69	石龙芮	苦平	苦平		酸	咸无毒		大寒	大寒	
2:71	紫参	苦辛寒	苦	苦					小寒	
2:74	泽兰	苦微温	酸无毒	酸无毒	酸无毒		酸无毒		温	
2:74	防己	辛平	辛	苦无毒	苦无毒		苦无毒		大寒	
2:75	牡丹	辛寒	辛	苦有毒	辛	苦无毒	苦无毒		小寒	
2:76	王孙	苦平	苦无毒	甘无毒		苦无毒				
2:77	翘根	甘寒平	甘有毒			甘有毒				
2:80	枳实	苦寒				酸无毒			大寒	吴普曰苦
2:80	厚朴	苦温	苦无毒		苦无毒	苦无毒			小温	

《吴氏本草经》辑校

孙本卷：页	孙本药名	神农本草经正文药性	吴普引用各家所言药性							
			神农	黄帝	岐伯	雷公	桐君	扁鹊	李氏	其他
2：80	秦皮	苦微寒	酸无毒	酸无毒	酸无毒	酸无毒			小寒	
2：81	山茱萸	酸平	酸无毒	酸无毒	辛	酸无毒		酸无毒		一经味酸
2：82	紫葳	酸微寒	酸	甘无毒	辛	酸		苦咸		
2：82	猪苓	甘平	甘			苦无毒				
2：83	卫矛	苦寒	苦无毒	苦无毒				苦无毒		
2：92	大豆黄卷	甘平	无毒	无毒		无毒				
2：92	生大豆		生熟寒		生熟寒					本条原附"大豆黄卷下"
2：92	赤小豆		咸	咸		甘				本条原附"大豆黄卷"下
2：92	粟米	咸微寒	苦无毒	苦无毒						
2：93	黍米	甘温	甘无毒							
3：97	礜石	辛大热	辛有毒	甘有毒	辛有毒		有毒		大寒	
3：99	附子	辛温	辛		甘有毒	甘有毒			苦有毒	
3：100	乌头	辛温	甘有毒	甘有毒		甘有毒	甘有毒		大温	
3：100	乌喙		有毒	有毒		有毒	有毒		小寒	本品附在"乌头"下
3：100	萴子		有大毒		有大毒				大寒	本品附在"乌头"下
3：101	虎掌	苦温	苦无毒		辛有毒	苦无毒	辛有毒			
3：102	大黄	苦寒	苦有毒			苦无毒		苦无毒	小寒	
3：102	桔梗	辛微温	苦无毒	咸	甘无毒	甘无毒		咸	大寒	医和味苦无毒
3：104	藜芦	辛寒	辛有毒	有毒	咸有毒	辛有毒		苦有毒大寒	大寒大毒	
3：104	钩吻	辛温	辛			有毒杀人				
3：105	恒山	苦寒	苦		苦		辛有毒		大寒	
3：105	蜀漆	辛平	辛有毒	辛	辛有毒	辛有毒				一经酸
3：106	甘遂	苦寒	苦有毒			有毒	有毒	苦有毒		
3：107	白及	苦平	苦	辛		辛无毒			大寒	
3：108	贯众	苦微寒	苦有毒	咸酸	苦有毒		苦	苦		一经苦无毒；另一经甘有毒
3：108	牙子	苦寒	苦有毒	苦有毒	苦无毒	苦有毒	或咸	苦无毒		
3：109	羊踯躅	辛温	辛有毒			辛有毒				
3：110	白头翁	苦温	苦无毒						苦无毒	

孙本 卷：页	孙本 药名	神农本草经 正文药性	吴普引用各家所言药性							
			神农	黄帝	岐伯	雷公	桐君	扁鹊	李氏	其他
3：111	女青	辛平	辛	辛						
3：112	闾茹	辛寒	辛		酸咸有毒					大寒
3：113	石长生	咸微寒	苦			辛				一经甘
3：114	芫花	辛温	有毒	有毒	苦			苦		大寒
3：114	芫花根		苦有毒			苦有毒				本品附在 "芫花" 条下
3：115	巴豆	辛温	辛有毒	甘有毒	辛有毒		辛有毒			温热寒
3：117	荞草	辛温	辛			苦有毒	苦有毒			
3：117	雷丸	苦寒	苦	甘有毒	甘有毒		甘有毒	甘有毒		大寒
3：118	黄环	苦平	辛	辛	辛			辛	辛	一经苦有毒
3：121	马刀	微寒	咸有毒		咸有毒		咸有毒	小寒大毒		
3：123	斑苗	辛寒	辛		咸			有毒	甘有大毒	
3：124	石蚕	咸寒	酸无毒			酸无毒				
3：128	腐婢	辛平	甘毒							

从上表来看，在《吴普本草》残缺药物中，引用"神农"的药物有 118 种，引用"黄帝"的药物有 53 种，引用"岐伯"的药物有 57 种，引用"雷公"的药物有 83 种，引用"桐君"的药物有 42 种，引用"扁鹊"的药物有 50 种，引用"李氏"的药物有 52 种，此外还有引用"医和"的药物 4 种及"一经"的药物 8 种。从吴普引用药物的数量来看，吴普作本草时，是参考过上述各家书的。换句话说，在吴普时，应有上述各种书存在，现在讨论如下。

1. 《岐伯经》

《岐伯经》不见于正史，仅本草家引用其名。《证类本草》卷 8 "狗脊"条下，载有吴普引说："狗脊，《岐伯经》云，茎无节，叶端圆青赤，皮白有赤脉。"《岐伯经》的名字始见于此。按《御览》记载，吴普引用《岐伯经》的药物有 57 种。

2. 《神农本草经》

从上表中看，吴普引"神农"药性有 118 种。在这些《吴普本草》残存药物中，是引用药性最多的。

《吴普本草》所引"神农"药性，与《证类本草》中《本经》药的性味并不相同。例如牛膝，《证类》白字作"味苦酸"；吴普引作"味甘"。女萎，《证类》作"甘平"；吴普作"味苦"。菴䕡子，《证类》作"味苦微寒"；吴普作"味苦小温无毒"。青蘘，《证类》作"甘寒"；吴普作"味苦"。泽兰，《证类》作"苦微温"；吴普作"酸无毒"。类似例子很多。此外，还有些药，如粟米、黍米、乌喙、侧子等，在《证类本草》中均作《别录》药。《吴普本草》在此等药名下，均引有"神农"药性。如粟米，吴普引神农作"苦无毒"；黍米，引神农作"甘无毒"；乌喙，引神农作"有毒"；侧子，引神农作"有大毒"。由此可见，《吴普本草》所记的"神农"药性，不同于世传本《证类本草》白字本草经药性。这也可以说明《吴普本草》中所引的"神农"药性，疑是另一种《神农本经》，或与世传本《神农本草经》是同名异书。

3. 黄帝、扁鹊

《吴普本草》引"黄帝"药性 53 种，又引"扁鹊"药性 50 种。其中"䗪蟲"条引黄帝云："治妇人寒热"，则"黄帝""扁鹊"似有医药书存在，否则吴普从何处得到呢？

在《史记·淳于意传》中，提到黄帝、扁鹊有医药书。该传云："高后八年（公元前 180 年），更受师同郡元里公乘阳庆……传黄帝、扁鹊之脉书……及药论甚精……意避席再拜谒，受其脉书上下经……药论，受读解验之。"

按《史记》所载，吴普书中所引的黄帝、扁鹊，疑是公乘阳庆所传的《黄帝药论》及《扁鹊药论》。

4. 医和

《吴普本草》引"医和"药性 4 条：石钟乳味甘，石流黄味苦无毒，凝水石味甘无毒，桔梗味苦无毒。

《古今图书集成·医部全录·医术名流列传》，载有医和，是引《左传》的，谓：晋候有疾，求医于秦，秦伯使和视之。和曰：疾不可为也，是谓近女室，疾如蛊。但未言及医和著有药书。不知《吴普本草》所引的"医和"，是否即《左传》中记载的医和。古代医药书未见过"医和药书"。

5. 雷公、桐君

《吴普本草》引"雷公"药性 83 种、"桐君"药性 42 种。则此"雷公""桐君"书是什么书呢？

《本草经集注·序录》云："至于药性所主，当以识识相因，不尔何由得闻，至桐、雷，乃著在于编简。"又云有"《桐君采药录》，说其花叶形色，《药对》4卷，论其佐使相须"。

清代姚振宗《汉书艺文志拾补·方技略》收集汉代散佚的书中有《雷公药对》2卷，《桐君药录》3卷。

疑《吴普本草》中的雷公、桐君，或指《雷公药对》《桐君药录》而言。

6. 李氏

《吴普本草》引李氏（有些条文或作季氏）药性有 52 种。不知此李氏何所指。

《隋书·经籍志》载有《李当之本草经》1 卷，《李当之药录》6 卷。

陶弘景作《本草经集注》曾引用过《李当之药录》。《证类本草》卷 12 页 302 "牡荆实"条有陶弘景注，"《李当之药录》乃注溲疏下云：溲疏，一名阳栌，一名牡荆，一名空疏。皮白中空，时有节。子似枸杞子，赤色。味甘，苦。冬月熟。"

陶弘景所引《李当之药录》的"溲疏"条，言及溲疏味甘，苦。这说明《李当之药录》亦讲药性的。

李当之除著《李当之药录》外，亦著有《李当之本草》。《证类本草》卷 1 梁·陶弘景序中有掌禹锡引《蜀本》注，"李当之，华佗弟子，修神农旧经，而世少行用。"同书卷 19 "伏翼"条有《唐本》注，"伏翼以其昼伏有翼尔。《李氏本草》云：即天鼠也。"又"天鼠屎"条，《唐本》注，"天鼠屎，《李氏本草》云：即伏翼屎也。"

李当之所著《药录》曾为陶弘景所引，李当之所著《本草》亦曾为《唐本草》所引。至于《吴普本草》中所引李氏药性 52 种，不知是属何家的李氏？李当之、吴普同为华佗弟子，他们是同时代人，如果吴普所引李氏药性为《李当之本草》，则《李当之本草》成书应早于《吴普本草》，否则吴普如何能引用到李氏药性？

以上各家，除李氏外，其余各家，各有别本名"一经"。这些"一经"分别记有不同的药物性味。例如石胆、牛膝、山茱萸、蜀漆，一经味酸；石长生、女萎，一经味甘；贯众，一经甘有毒，又云一经苦无毒；黄环，一经苦有毒。

九、吴普所引"神农"药性与《证类本草》白字《本经》药所引"神农"药性同异考

《嘉祐本草·补注所引书传》云："《吴氏本草》……其说药性寒温、五味，最为详悉。"该书介绍药性，不像《本经》《别录》等书，只有一家之言，而《吴普

本草》所记药性，一共引证了 9 家的意见，这 9 家是：神农、黄帝、岐伯、雷公、桐君、扁鹊、医和、一经、季（或作李，一般认为即李当之）氏。每一家的药性，都有很多药物出现。《吴普本草》在药性方面是汇总了魏以前研究的成果。

在《吴普本草》记载的 9 家药性中，所引的"神农"药性，与《证类本草》中《本经》药所引"神农"药性，其间存在什么关系呢？是相同，还是不相同？这就是本文要讨论的问题。今从现存诸书所引《吴普本草》残存条文中，将所记"神农"药性与《证类》中《本经》药所记"神农"药性，勘比如下。

本文所讲"神农"药性，指《本经》药兼备四气（寒、热、温、凉）、五味（酸、苦、辛、甘、咸）及有毒、无毒等内容。由于《吴普本草》原书佚，今存残文兼备四气、五味、有毒、无毒等内容，并不多。《证类》白字《本经》药，也不兼备四气、五味、有毒、无毒等内容。特别在"有毒、无毒"内容上，全书仅两味药（白头翁、干漆）有"无毒"内容，其余《本经》药俱无此内容。关于这个问题，留待后文再述。

由于《证类》白字《本经》药缺乏"有毒、无毒"内容，只能按《吴普本草》《证类》两书药物所载"四气""五味"等内容来勘比。

在《吴普本草》残存 270 味药物中，有 123 味药载有"神农"药性。其中 113 味是《本经》药引"神农"药性，另有 10 味《别录》药也引"神农"药性。

将《吴普本草》所引"神农"药性和《证类》所引"神农"药性勘比，相同者极少，绝大部分都不相同。兹分述如下。

1. 两书所载"神农"药性完全相同者

（1）在 40 味矿物药中，两书所载药性相同者，仅有白青、太一禹馀粮俱作"甘、平"。

（2）在 96 味植物药中，其性味相同者仅 5 味。胡麻、石斛、麦门冬俱作"甘、平"，芍药俱作"味苦"，芫花根俱作"味辛"。

（3）在 9 味动物药中，其性味相同者无。

2. 两书所载"神农"药性全不相同者

（1）在 40 味矿物药中，有 4 味药，其性味全不相同。

石钟乳，《吴普本草》作"辛"，《证类》作"甘，温"。

硫黄，《吴普本草》作"咸，有毒"，《证类》作"酸，温"。

阳起石，《吴普本草》作"酸，无毒"，《证类》作"咸，微温"。

扁青，《吴普本草》作"小寒，无毒"，《证类》作"甘，平"。

（2）在96种植物药中，其性味全不相同者，有下列一些药。

委萎，《吴普本草》作"苦"，《证类》作"甘，平"。

牛膝，《吴普本草》作"甘"，《证类》作"苦"。

青襄，《吴普本草》作"苦"，《证类》作"甘，寒"。

肉苁蓉，《吴普本草》作"味咸"，《证类》作"甘，微温"。

桔梗，《吴普本草》作"苦，无毒"，《证类》作"辛，微温"。

知母，《吴普本草》作"无毒"，《证类》作"苦，寒"。

白沙参，《吴普本草》作"无毒"，《证类》作"苦，微"。

芩皮，《吴普本草》作"酸，无毒"，《证类》作"苦，微寒"。

芫花，《吴普本草》作"有毒"，《证类》作"辛，温"。

乌头，《吴普本草》作"甘，有毒"，《证类》作"辛，温"。

大豆黄卷，《吴普本草》作"无毒"，《证类》作"甘，平"。

小豆花，《吴普本草》作"甘，无毒"，《证类》作"辛，平"。

蜀黄环，《吴普本草》作"辛"，《证类》作"苦，平"。

泽兰，《吴普本草》作"酸，无毒"，《证类》作"苦，微温"。

（3）在9种动物药中，其性味全不相同者，有马刀，《吴普本草》作"咸，有毒"，《证类》作"辛，微寒"。

3. 两书所载"神农"药性，一部分相同，另一部分不相同者

（1）在矿物药中，味同性异者，有空青，其味相同，均作"味甘"；其性异，《吴普本草》作"平"，《证类》作"寒"。紫石英，其味相同，均作"味甘"；其性异，《吴普本草》作"平"，《证类》作"温"。类似此例很多，从略。

（2）在植物药中，味同性异者有菴䕡子，其味俱作"苦"；其性异，《吴普本草》作"小温"，《证类》作"微寒"。余皆同此，从略。

（3）在动物药中，味同性异者有石蚕，两书俱作"味咸"；其性异，《吴普本草》作"有毒"，《证类》作"寒"。余皆同此，从略。

关于《吴普本草》《证类》所载"神农"药性，其味同性异者最多，兹按五味列举如下。

（1）苦味相同药31种：消石、雄黄、石龙芮、落石、独活、苀胡、菴䕡子、茵尘、王不留行、黄芩、芍药、丹参、厚朴、玄参、续断、枳实、狗脊、鬼箭、黄孙、大黄、甘遂、牡蒙、雷丸、贯众、狼牙、白头翁、白及、虎掌、王刍、恒山、海蛤。

（2）辛味相同药 26 种：孔公孽、凝水石、白礜石、卷柏、细辛、房葵、菥蓂、云实、徐长卿、芎䓖、通草、淫羊藿、莽草、巴豆、芫花根、秦钩吻、女青、附子、羊踯躅华、蜀漆、牡丹、木防己、藜芦、菵茹、斑猫、麻蓝（麻蕡）。

（3）甘味相同药 23 种：玉泉、丹砂、空青、白青、紫石英、白石英、太一禹餘粮、猪苓、麦门冬、署预、人参、石斛、香蒲、翘根、蕤核、当归、防风、葛根、豕首、石蜜、雁肪、樱桃、胡麻。

（4）酸味相同药 4 种：石胆、矾石、山茱萸、紫威。

（5）咸味相同药 2 种：桑螵蛸、石蚕。

以上各药，其味虽相同，但其性（寒、热、温、凉）、有毒、无毒，并不相同。除前述矿物药、植物药、动物药极少数性味相同外，其余俱不相同。

又《吴普本草》在各药所引"神农"药性的内容，以五味较多，而四气较少。不像《证类》所引"神农"药性，除"有毒、无毒"缺少外，在四气、五味内容上，都是同样的多。在《吴普本草》所引"神农"药性中，有 113 种讲五味的，而涉及四气的仅 16 味。

根据两书所引"神农"药性的勘比，可以得出以下一些看法。

（1）《证类》白字《本经》药所载"神农"药性，只有四气、五味，缺少"有毒、无毒"内容。《吴普本草》残存药物，所载"神农"药性，既有四气、五味的内容，又不缺少"有毒、无毒"内容。而且在"有毒、无毒"文字前，均冠有"神农曰"，证明《吴普本草》药物所载"有毒、无毒"，是出于《神农本草经》。这就说明《本经》药原先是有此等内容的，不知《证类》白字《本经》药为何缺少"有毒、无毒"内容。

查《证类》白字《本经》药有 365 味，言"有毒、无毒"仅白头翁、干漆，这显然与事实不符。该书白字《本经·序录》云："药有酸、咸、甘、苦、辛五味，又有寒、热、温、凉四气及有毒、无毒。"但在各个药物中，除四气、五味作白字《本经》外，其有毒、无毒俱作墨字《别录》。此与事实也不符。

又《本经·序录》讲上、中、下三品类别，均提到"有毒、无毒"内容，为何在具体药物无此内容？

现存《证类》白字《本经》药向上推溯，源于《嘉祐本草》；《嘉祐本草》源于《开宝本草》；《开宝本草》源于《唐本草》；《唐本草》源于陶弘景《本草经集注》。则《证类》白字《本经》，归根源于《集注》。那么《证类》白字《本经》

药缺"有毒、无毒",是否由陶氏删去?

从敦煌出土的《本草经集注》看,又不像为陶氏所删,陶在《集注》中说:"其甘、苦之味可略,有毒、无毒易知,惟冷热须明。"陶对药性如此重视,岂能舍"有毒、无毒"内容呢?笔者怀疑,《证类》白字《本经》药缺"有毒、无毒"内容,可能是历代翻刻时脱漏《本经》标记所致。由于《证类》白字《本经》药缺"有毒、无毒"内容,明、清中日学者所辑各种单行本《本草经》俱无"有毒、无毒"内容。所以这些辑本《本草经》所载的药性是不全的药性。

(2)《吴普本草》《证类》两书所载"神农"药性不同,提示两书所据的《神农本草经》底本不同。陶氏《本草经集注·序录》云:"魏、晋以来,吴普、李当之等更复损益,或五百九十五,或四百四十一,或三百一十九……今辄苞综诸经(指多种本草经),研括烦省,以《神农本经》三品合三百六十五为主,又进名医副品亦三百六十五,合七百三十种……并此序录,合为七卷(指《集注》)。"

从这段序文,可以看出,陶作《集注》就见到多种《本草经》,其载药数有595、441、319,连同365者,共有4种本子。

北宋太平兴国时,由政府编《御览》,其书引用《本经》药,或冠《本草》,或冠《本草经》,或冠《神农本草》,或冠《神农本草经》。这就提示,在北宋时,还有多种同名异书《本草经》存在。

基于以上的事实,我们可以确认《吴普本草》《证类》所载"神农"药性不是源于同一祖本《神农本草经》。《证类》祖本是陶作《集注》所见到"诸经"中的本子。据掌禹锡云:"吴氏本草,魏·广陵人吴普撰。普,华佗弟子,修《神农本草》成四百四十一种。"此与《集注》"诸经"中441暗合。

(3)《吴普本草》《证类》两书所载"神农"药性不同,提示两书所定《本经》药不同。在《吴普本草》书中,将下列一些药,定为《本经》药。

生大豆,《吴普本草》引神农"生大豆,神农:生温熟寒"。

大麦,《吴普本草》引神农"大麦,神农:无毒"。

麦种,《吴普本草》引神农"麦种,神农:无毒"。

陈粟,《吴普本草》引神农"陈粟,神农:苦,无毒"。

黍,《吴普本草》引神农"黍,神农:甘,无毒"。

此等药,《吴普本草》既引"神农曰",当是出于《神农本草经》,即定为《本经》药。而《证类》对此等药俱作墨字,即定为《别录》药。

清代孙星衍辑《神农本草经》,其卷2中品,即收录"粟米""黍米"为《本经》药。孙氏在《校定神农本草经序》中说："其所称，有神农说，即是《本经》，亦据增其药物。"孙氏之所以这样做，就是根据《吴普本草》所载药性冠有"神农曰"。

又如《御览》所引的石流赤、石脾、石肺、石决明、忍冬、芋、柰、纶布（昆布）等药，均冠有"本草经曰"，说明此等药出于《本草经》。但《证类》对此等药全作《别录》药。这就提示《御览》《证类》所据的底本《本草经》，都不是同一种祖本，正如陶氏《集注》"诸经"中有595、441、319、365等多种本子。由于他们所确立《本经》药不同，才出现载药数目的差异。

总之，通过《吴普本草》《证类》所载"神农"药性的差异，可以看出两书所据的《本草经》不是同一种本子。联系《集注》中"诸经"595、441、319、365不同载药数，说明古代有多种同名异书《本草经》存在。由于《吴普本草》所载"神农"药性，有"有毒、无毒"内容，则《证类》白字《本经》药亦应当有此内容，由于历代翻刻脱漏标记，致使《证类》白字《本经》药缺少"有毒、无毒"内容。又《吴普本草》某些非《本经》药，因冠有"神农曰"，清代孙星衍辑《本草经》时，亦收此等药（粟米、黍米）为《本经》药。

（本文曾发表于《中华医史杂志》1998年7月第28卷第3期）

十、《吴普本草》引书有汉代人托名之作

李时珍《本草纲目·历代诸家本草》云："《吴氏本草》，其书分记神农、黄帝、岐伯、桐君、雷公、扁鹊、华佗弟子李氏，所说性味最详。"

孙星衍辑《神农本草经·序》云："自梁以前，神农、黄帝、岐伯、雷公、扁鹊各有成书，魏吴普见之，故其说药性主治，各家殊异。"

李时珍、孙星衍均认为神农、黄帝、岐伯、雷公、扁鹊各有成书，是根据吴普在著本草时引用他们书中的药性。

1962年芜湖医专油印笔者所辑的《吴普本草》，第29页所撰《吴普著述本草时所参考的资料》一文，统计吴普所引诸家药性资料，共有467条。其中引"神农"药性118条，"岐伯"药性57条，"黄帝"药性53条，"扁鹊"药性50条，"雷公"药性83条，"桐君"药性42条，"李氏"药性52条，"医和"药性4条，"一经"药性8条。所引资料，绝大多数是讲药物的性味。根据吴普引述的诸家药性资料认为，吴普所见的本草书，有下列若干种。

（1）神农，《吴普本草》引"神农"药性 118 条，是吴普援引诸家药性资料最多的一种。将《吴普本草》所引"神农"药性，校以《证类本草》白字《本经》药药性，二者并不相同。例如牛膝，《证类》白字作味苦酸，吴普作味甘；女萎，《证类》白字作甘平，吴普作味苦；菴藺子，《证类》白字作味苦微寒，吴普作味苦小温无毒；泽兰，《证类》白字作苦微温，吴普作酸无毒。类似例子很多。

此外，还有些药如粟米、黍米、乌喙、侧子等，在《证类本草》作《别录》药，而《吴普本草》在此等药名下，均引作"神农"药性。粟米，吴普引神农作苦无毒；黍米，吴普引神农作甘无毒；乌喙，吴普引神农作有毒；侧子，吴普引神农作大有毒。由此可见，《吴普本草》所引"神农"药性，不同于《证类本草》白字《本经》药药性，这就提示，《吴普本草》所引的"神农"药性，当是另一种《神农本草》或《神农本草经》。

（2）岐伯，《吴普本草》引"岐伯"药性 57 条。如：丹砂，苦有毒；人参、桔梗，甘无毒；蜀漆、巴豆，辛有毒；狼牙，苦无毒；马刀，咸有毒；菴藺子，苦小温无毒。吴普既然引"岐伯"药性，则古代当有岐伯药书存在，否则吴普怎么能引到岐伯的药性。《证类本草》卷 8 "狗脊"条，载有吴普曰："狗脊，《岐伯经》云，茎无节。"但《御览》卷 990 "狗脊"条吴普文，作"岐伯一经"，而非"岐伯经"，疑《证类》脱"一"字。

（3）黄帝、扁鹊，《吴普本草》引"黄帝"药性 53 条，引"扁鹊"药性 50条。如：人参，黄帝作甘无毒，扁鹊作有毒；芎䓖，黄帝作辛无毒，扁鹊作酸无毒；防风，黄帝、扁鹊作甘无毒；丹参，黄帝、扁鹊作苦无毒；山茱萸，黄帝、扁鹊作酸无毒；贯众，黄帝作咸酸微苦无毒，扁鹊作苦等。在"蜚蠊"条下引黄帝云："治妇人寒热。"从以上所引药性看，黄帝、扁鹊当有药书存在。《史记·仓公扁鹊列传》云："高后八年（公元前 180 年），更受师同郡元里公乘阳庆，……传黄帝、扁鹊之脉书及药论甚精。"按《史记》所载，扁鹊曾得到公乘阳庆的《药论》一书。

（4）雷公、桐君，《吴普本草》引"雷公"药性 83 条，引"桐君"药性 42条。如：阳起石，雷公、桐君咸无毒；委萎，雷公、桐君甘无毒；细辛，雷公、桐君辛小温；落石，雷公苦无毒，桐君甘无毒；芍药，雷公酸，桐君甘无毒等。陶弘景《本草经集注·序录》云："至于药性所主，当以识识相因，不尔何由得闻，至于桐、雷，乃著在于篇简。"

（5）李氏，《吴普本草》引"李氏"（有些条文作季氏）药性有 52 条。如：

钟乳大寒，麦门冬甘小温，黄连小寒，附子苦有毒，巴豆生温熟寒等。《隋书·经籍志》载有《李当之本草经》1卷。

（6）医和，《吴普本草》引"医和"药性4条。如：石钟乳味甘，石流黄味苦无毒，凝水石味甘无毒，桔梗味苦无毒。

以上各家，除李氏外，其余几家各有别本名"一经"，此等"一经"分别记药性。如：石胆、牛膝、蜀漆、山茱萸，一经作味酸；石长生、女菀，一经作味甘；贯众，一经作甘有毒，又作苦无毒；黄环，一经作苦有毒。

在上述《吴普本草》所引9种药性资料中，有关神农、黄帝、岐伯、扁鹊、雷公、医和等成书问题，我过去深信在先秦是有本草书存在的。李时珍《本草纲目》、孙星衍《神农本草经》均持此种观点。为此，我曾撰文，函请范行准先生审阅，范老当时回信批评说，哪儿有这么多的本草？我当时很不服气，难道李时珍、孙星衍都错了不成。后来我通过大量文献阅读，发现自己的观点有问题。《吴普本草》所引诸家药性，固然有所本。但吴普所见的书未必出自先秦，疑为汉代方士之流本草官（即《汉书·郊祀志》中"本草待诏者"）托名之作。神农、黄帝、岐伯、雷公、扁鹊、医和都是先秦医家，若这些医家在那个时代果真著有药书，为何在先秦各种文献（包括先秦出土资料）中不见踪迹？因此，我怀疑这些人的资料，很可能是汉代人托名之作。

《史记·封禅书》卷28所记，早在战国齐威王、齐宣王时，有邹子之徒，以阴阳主运，显于诸侯，而燕齐海上方士，传其术不可胜数。

《汉书·平帝纪》："元始五年……方士、本草待诏，遣诣京师数千人。"政府既然设置本草官，从事方药本草活动的人，又何尝不想去应征；去应征，必须带证明资料，最好的证明资料，就是托名本草的著作。所以汉代出现很多托名的本草，其原因可能在此。

十一、陶弘景作《本草经集注》
参考过《吴普本草》

敦煌出土的《本草经集注·序录》云："是其《本经》……吴普、李当之更复损益，或五百九十五，或四百四十一，或三百一十九，或三品混糅，冷热舛错，草石不分，虫兽无辨，且所主治，互有得失，医家不能备见，则识智有浅深。今辄苞综诸经，研括烦省，以《神农本经》三品合三百六十五为主，又进名医副品亦三百六十五，合七百三十种。"

这段序文讲了以下这几个问题。

（1）吴普、李当之各自损益（修订）《本草经》。按掌禹锡《嘉祐本草·补注所引书传》云，吴普修《神农本草》成441种（指所收载药品，下同）。则李当之修的《本草经》或成595种，或成319种。

（2）各家所修的《本草经》，在药物总数、药性、三品分类、主治多寡上互有出入。

（3）陶弘景称各家所修的《本草经》为"诸经"。陶弘景认为载药365种的本子是诸经中最古的本子，蜀本注称之为"旧经"。其他的本子与旧经有不同的地方，都是名医损益的结果。所增益的资料有两种：一是增益的新药；二是旧经中药物增益的新内容。这些增益的新药和新内容，都是名医附经为说的资料。陶氏称这些资料为"名医别录"。

（4）陶弘景作《本草经集注》就是"苞综诸经"（指各家修订的《本草经》），研括烦省（进行整理），以365种《本经》药为主，又进"名医副品"（即名医附经为说增益的新药）亦365，合730种。

在陶弘景"苞综诸经"中，有《李当之本草》，也有《吴普本草》，还有载药365种本子的旧经及其他种本子。当陶弘景"苞综诸经"时，把所有各种本草经的内容，全部收入《集注》中。当然《吴普本草》的内容也同样被收入《集注》中。

《吴普本草》原书已佚，但其部分残缺条文保存在《御览》中，今据此残文作为研究依据。

《本草经集注》通过《唐本草》《开宝本草》《嘉祐本草》保存在《证类本草》中。《证类本草》中的《本经》《别录》的文字，即由当年陶氏"苞综诸经"而成。

所谓"苞综诸经"，就是把各家修订的《本草经》进行综合性整理，归并它们之间的同异，糅合为一体，形成《集注》中的《本经》药和《别录》药。

陶弘景作《集注》，仅对《本经》《别录》作朱墨书写的标记，对"诸经"中名称并未作出标记。如引用《吴普本草》或《李当之本草》等就未作出标记。那又如何能知晓呢？我们是通过对诸书所引的条文进行勘比察知的。今以石蜜为例，说明如下。

《御览》卷988"石蜜"条引《吴氏本草》，"石蜜，神农、雷公：甘，气平。生河源或河梁。"

文中画点者，是与《证类本草》中的《本经》文相同，画横线者是与《证类本草》中的《别录》文相同，下仿此。

又如《御览》卷988"石蜜"条引"本草经曰"，"石蜜，一名石饴。味甘，平。生山谷。治心邪，安五藏，益气补中，止痛，解毒。久服轻身不老。生武都。"

从上文《吴普本草》石蜜和《御览》引《本草经》的石蜜，所画点与横线来看，《证类本草》"石蜜"条既概括《吴普本草》"石蜜"条文字，又概括了《御览》所引"本草经曰""石蜜"条文字。例如在产地上，《吴普本草》云"生河源"，而《御览》引"本经曰""生武都"。而《证类》作"生武都山谷、河源山谷"是《证类》兼备了《吴普本草》及《御览》所引"本经曰"的文字。《证类》向上推溯源于《集注》。这就说明陶弘景作《集注》"苞综诸经"时，也将《吴普本草》与其他诸经文字糅合在一起，形成《集注》的内容。

现在再举白头翁一例说明。

《御览》引《吴普本草》，"白头翁，一名野丈人，一名奈何草，神农、扁鹊：苦，无毒。生嵩山川谷。治气狂寒热止痛。"

《御览》引"本草经曰"，"白头翁，一名野丈人，一名胡王使者。味苦，温。无毒。生川谷。治温疟、瘰气、狂易。生嵩山。"

从上文《吴普本草》白头翁及《御览》引白头翁所划点及横线文来看，两书所载白头翁文字，与《证类本草》白头翁文，基本相同。这就提示了《证类本草》概括了两书的内容。例如在一名上，《吴普本草》有"一名奈何草"，而无"一名胡王使者"。而《御览》引《本草经》文，有"一名胡王使者"，而无"一名奈何草"，而《证类本草》的白头翁条则兼而有之。《证类本草》向上推溯源于《集注》，此即陶氏作《集注》"苞综诸经"时，对"诸经"的白头翁文字糅合的结果。

陶氏糅合"诸经"文字后，在书写体例上作了更改，将一名移在主治功用之后，而产地、采收列在文末。几乎《证类本草》全部《本经》文、《别录》文（除"鸬鹚屎"条外）都是按这个体例编排的。

另外陶氏"苞综诸经"时，对"诸经"中内容是有选择性地糅合。如药物的性状、形态、生态及某些性味则未加糅合。兹举两例如下。

凝水石，一名白水石，一名寒水石。神农：辛。岐伯、医和：甘，无毒。扁鹊：甘，无毒。季氏：大寒。或生邯郸。采无时。如云母色。（《御览》卷987页5引吴普文。）

云实，<u>一名员实</u>，<u>一名天豆</u>。神农：辛、小温。黄帝：咸。雷公：苦。叶如麻，两两相值，高四五尺，大茎，空中；六月花，八月、九月实。<u>十月采</u>。（《御览》卷992页9引吴普文。）

从凝水石、云实两例来看，陶弘景取《吴普本草》中新增的资料，仅限于一名、主治、产地、采收、畏恶等资料。对《吴普本草》中记述的药物性状，包括植物生态与形态，以及记述诸家药性等资料，并未采用。

上述"凝水石"条，"岐伯、医和：甘，无毒；扁鹊：甘，无毒；季氏：大寒。""云实"条，"神农：辛，小温。黄帝：咸。雷公：苦。叶如麻，两两相值，高四五尺，大茎，空中；六月花，八月、九月实。"此等记述的诸家药性和药物性状、生态、形态，皆不见于《证类本草》墨字《别录》文中。除此之外，余下的文字（指划点文和划横线文）皆见录于《证类本草》的《本经》文、《别录》文中，这就证明陶作《集注》是直接糅合过《吴普本草》的。

《吴普本草》除在旧经的药物增加新内容外，还增加很多新药。旧经载药为365种，《吴普本草》载药441种，所以《吴普本草》增加的新药为76种。这76种，是指吴普修订《本经》时，对旧经中所载365种药数未改变情况下计算的。《本草经集注·序录》云："吴普、李当之更复损益。"假如在吴普修成的《本经》441种中，对旧经365种有所删损，则实际增加的药数，就不止76种了。

陶弘景作《集注》，在"苞综诸经"时，除选用旧经365种之外，又把"诸经"中所增的药物，亦凑成365种作为《别录》药收入《集注》中，使《集注》载药成为730种。

在现存《吴普本草》残缺的200余条内，其中《别录》药有20多条，如乌喙、侧子、鼠尾、满阴实、芸香、鹜肪、运日、复盆、樱桃、木瓜、李核、梨、大麦、麦种、生大豆、豉、粟、陈粟、龙角、黍、食蜜等。这些药都是《吴普本草》中新增的。陶弘景称这些新增药为"名医副品"，或称"名医别录"。

陶弘景在"苞综诸经"时，对"诸经"中新增的药，或糅合，或归并。如"乌喙""乌头"在《吴普本草》中是各自单独立为一条，《御览》援引时也是各自分别引录。例如，《御览》卷990引《吴氏本草》曰："乌喙，……所畏恶使，尽与乌头同。"从"尽与乌头同"一语来看，《吴普本草》中的"乌头"与"乌喙"是分立为两条的。但《证类本草》卷10页243，将"乌喙"并在"乌头"条下论述。《证类本草》向上推溯，源于《集注》。就是说，陶氏作《集注》"苞综诸经"时，将《吴普本草》新增的"乌喙"并入"乌头"条内。

陶弘景"苞综诸经"时，对"诸经"中新增的药进行糅合，作为《别录》药收入《集注》，《集注》的内容是保存在《证类本草》中，从《证类本草》所载的《别录》，还可寻出与《吴普本草》内容相同的文字。这些文字能够反映陶氏当年作《集注》"苞综诸经"的迹象。今再举例如下。

大麦，一名矿麦，五谷之盛，无毒。治消渴，除热，益气。食蜜为使。（《御览》卷838页8引吴普文。）

樱桃，一名英桃，一名牛桃，一名朱桃，一名朱茱，一名麦英，一名麦甘酣。主调中，益脾气，令人好颜色，美志气。（《御览》卷969页6引吴普文。）

生大豆，神农、岐伯：生熟寒。九月采，杀乌头毒，并不用玄参。（《御览》卷841页6引吴普文。）

黍，神农：甘，无毒。七月取阴干。益中补气。（《御览》卷842页5引吴普文。）

陈粟，神农、黄帝：苦，无毒。治痹热渴。粟，养肾气。（《御览》卷840页8引吴普文。）

上述5味药，各条下所划横线者，在《证类本草》相应的《别录》药条文中均可找出，其内容基本相同，有的甚至完全相同。这就提示《证类本草》墨字《别录》文中有《吴普本草》新增药的内容。

《吴普本草》是"诸经"中的一种，其新增的资料，陶弘景"苞综诸经"时，收入《集注》中称之为《名医别说》，或称为《名医别录》。因为陶弘景在作《集注》时，所讲的《名医别录》，是泛指"诸经"中名医增录的资料而言，并非指当时有现成的《名医别录》一书存在；如果有，陶弘景不会单纯讲"苞综诸经"，应说"苞综诸经和名医别录"才对。但陶弘景在序录中并未提到《名医别录》一书。陶弘景在《集注》中所进的《名医别录》药物，即是名医在诸经中附经为说增益的新药。这些新药都是当时《本草经》文的一部分。例如《吴普本草》新增药，在书中也都视为《本草经药》的一部分。上述5味药中，生大豆、黍、陈粟等，按《证类本草》墨字应属《别录》药。但此3味药中的"药性"，均记有"神农"药性。说明此3药一定被视为《神农本草经》药；否则怎么会在条文中记有"神农"药性呢？从这些例子可以看出，《吴普本草》中所新增的药，在当时都视为《本草经》药的一部分。

总之，吴普在旧经基础上修成《本草经》成441种，增加76种新的药物；同时对旧经中的老药亦增加新的内容。而《吴普本草》也是当时流行的多种《本草经》中的一种，陶弘景称这些本草经为"诸经"。

陶弘景作《集注》时，对"诸经"进行综合性处理，称为"苞综诸经，研括烦省"。《吴普本草》既是"诸经"中的一种，所以《吴普本草》中新增的资料亦为陶氏所采用，同"诸经"中新增的资料糅合成为《集注》中的内容。《集注》通过历代本草传抄，保存在《证类本草》中，《吴普本草》及少数的《本经》药，保存在《御览》中，将《证类本草》和《御览》所引"本草经曰"及"吴氏本草曰"的文字进行勘比，可以看出《证类本草》中《本经》文、《别录》文兼备了《御览》所引的"本草经曰""吴氏本草曰"的内容。从这里可以看出，陶弘景当年作《集注》，在"苞综诸经"时，也苞综了《吴普本草》的内容。

（本文曾发表于《中华医史杂志》1989 年第 19 卷第 2 期）

十二、《吴普本草》和陶弘景整理的 《本草经》文不同

《神农本草经》原书虽然失传，但它的内容，通过历代本草，被保存下来一些。现存的《证类本草》中黑底白字，即是《本草经》文。清代孙星衍、顾观光和日本森立之等所辑的《神农本草经》，主要是根据《证类本草》中的黑底白字经文补辑而成。《证类》中白字《本草经》文，向上推溯源于陶氏《本草经集注》中朱字。《集注》中朱字《本草经》文，是陶氏"苞综诸经"而成。所以《证类本草》中白字《本草经》文，是陶弘景整理的文字。中国明、清学者及日本学者所辑的《本草经》，皆来源于《证类》白字。所以各家所辑的《本草经》文字，也是陶弘景整理的《本草经》文。

目前国内外整复的《神农本草经》有 8 家 24 种刊本，最常见的有孙星衍、顾观光、日本森立之 3 家辑本。本文即用这 3 家辑本和《吴普本草》对比研究，考其异同。

《吴普本草》对于药物叙述的方式，和《本草经》中药物叙述不相同。现在简要地比较如下。

孙星衍等所辑的《神农本草经》，有商务排印本，以下简称《孙本》。

顾观光所辑的《神农本草经》，有人卫影印本，以下简称《顾本》。

森立之所辑的《神农本草经》，有上海卫生出版社影印本，以下简称《森本》。

《吴普本草》对于药物叙述方式，首先讲名称，其次讲别名，再次按照性味、

出处、生长情况、外部形态、采集时月、主治功效等次序介绍，有些药还记有配伍禁忌。

但是《证类本草》中黑底白字的《本草经》文，无论内容和叙述方式，均不相同。《证类本草》中的黑底白字经文，不讲产地，不讲多种药性，不讲药物形态，不讲配伍禁忌，对于药物采造时月也不提，仅介绍药物名称、异名、性味、主治功用等4项。其叙述的次序，先名称，次性味，次主治功用，最后讲异名。

《顾本》完全抄录《证类本草》中的黑底白字，所以《顾本》对药物的内容和叙述方式，完全和《证类本草》相同。

《孙本》与《顾本》相似，所不同者，《孙本》在多数药物末尾，增加"药物产地"。这种产地，并非全国各地的产地，乃是指该药所生长的环境，如山谷、川谷、池泽、川泽等。

《森本》乃是仿照《御览》所记药物的体例来叙述，先讲名称，次异名，次气味，次出处，次主治。所以森立之采用的体例，比《孙本》与《顾本》要近古些，也就是接近原来的模样，可能性更大些。

现在举"丹参"一例如下。

"丹参"在上述各书中，所讲的内容与方式，各不相同。

《吴普本草》，"丹参（名称），一名赤参，一名羊乳，一名郄蝉草（别名），神农、桐君、黄帝、雷公、扁鹊：苦，无毒。季氏：大寒。岐伯：咸（性味）。生桐柏，或生太山山陵阴（产地）。茎、花小，方如荏毛，根赤（形态），四月华紫（生长情况）。三月、五月采根（采集时月）。阴干（加工方法），治心腹痛（主治功用）。"（《御览》卷991页2。）

《证类本草》，"丹参（名称），味苦微寒（性味）。主心腹邪气，肠鸣幽幽如走水，寒热积聚，破癥除瘕，止烦满，益气（主治功用）。一名郄蝉草（别名）。"（《重修政和经史证类备用本草》，卷7草部上品，页183，1957年人卫版。）

《顾本》原抄录《证类本草》的黑底白字经文，所以《顾本》对"丹参"的叙述，全同《证类本草》。（顾观光《神农本草经》卷2页39，1955年人卫影印版。）

《孙本》对"丹参"的叙述，亦似《顾本》，所不同者，《孙本》中"丹参"的经文末尾加了"生川谷"一句。（孙星衍等辑《神农本草经》卷1页30，1955年商务版。）

《森本》对"丹参"的叙述，在内容上同《孙本》，唯排列次序不同。其文曰：

"丹参（名称），一名郤蝉草（别名）。味苦微寒（性味）。生川谷（产地）。治心腹邪气，肠鸣幽幽如走水，寒热积聚，破癥除瘕，止烦满，益气（主治功用）。"（森立之《神农本草经》卷中页62，1957年上海卫生出版社影印。）

根据上述资料来看，《吴普本草》对于药物叙述的范围较广，不单纯偏重于主治功用，对于药物形态、生态、加工等，均有介绍。所言性味，亦比《神农本草经》多，引有神农、黄帝、岐伯、雷公、桐君、扁鹊、李氏等诸家药性。所言产地，多有实在地名，并非山谷、川泽等地。例如矾石的产地，《吴普本草》记有生河西或陇西，或武都石门。而《神农本草经》，仅记生山谷，没有正式地名。对于药物生长情况和形态，记述亦详。例如大黄生长情况与形态，在《吴普本草》中，就有较详细的记载："二月卷生，生黄赤叶，四四相当，黄茎，高三尺许，三月华黄，五月实黑，三月采根，根有黄汁，切，阴干。"而《神农本草经》对于药物形态，全无记载。

《吴普本草》对于药物主治功用，偏重于实际应用者居多，书中很难见到有"不老神仙"等语。而《神农本草经》中，有三分之一的药物，都提到"不老神仙"的话。这也说明《吴普本草》有摆脱神仙思想的倾向。例如矾石的主治功用，《神农本草经》说："坚骨齿，轻身不老增年"，而《吴普本草》说："久服伤人骨。"这就说明《吴普本草》对药物作用的认识，似乎比《神农本草经》进了一步，不迷信神仙之说。

此外在药物数目上，亦不相同，《神农本草经》载药365种，《吴普本草》载药441种。

十三、孙星衍等所辑《神农本草经》有关《吴普本草》问题的商榷

孙星衍和孙冯翼合辑的《神农本草经》，考证比较完备，收录《吴普本草》资料亦多，但其中有些问题，似有商榷的必要。孙星衍认为《吴普本草》就是吴普修订的《神农本草经》。孙氏在他的《校定神农本草经序》中说："仲景、元华后，有吴普、李当之，皆修此经（指《神农本草经》），当之书世少行用，……普修《神农本草》成四百四十一种，《唐·经籍志》尚存六卷。"按序文所说，《吴普本草》6卷，就是吴普修订的《神农本草经》。所以孙氏在他所辑的《神农本草经》书名下，题署吴普等述。

《吴普本草》和《神农本草经》皆佚，前者散存于类书中，以《御览》最多，后者见存于《证类本草》白字。如把《御览》所引《吴普本草》资料和《证类本草》白字《本草经》文比较一下，则《吴普本草》6卷，绝非吴普修订的《神农本草经》。兹讨论如下。

《神农本草经》的条文和《吴普本草》的资料，无论在内容上或叙述方式上都不相同。

《神农本草经》对药物叙述方式，按名称、性味、功用、别名4项记述，不言形态、畏恶和采集，其中以主治功用叙述最详。

《吴普本草》对于药物叙述方式，是按名称、别名、性味、产地、形态、采造时月、主治功用、畏恶等次序记述，其中以形态叙述较详，主治功用讲得简略。兹以"丹参"为例，比较如下。

《神农本草经》"丹参"条叙述的方式是："丹参（名称），味苦微寒（性味）。主心腹邪气，肠鸣幽幽如走水，寒热积聚，破癥除瘕，止烦满，益气（主治功用）。一名郄蝉草（别名）。"（详见《证类本草》卷7。）

《吴普本草》"丹参"条叙述的方式为："丹参（名称），一名赤参，一名木羊乳，一名郄蝉草（别名）。神农、桐君、黄帝、雷公、扁鹊：苦，无毒。季氏：大寒。岐伯：咸（性味）。生桐柏，或生太山山陵阴（产地）。茎、花小，方如茬毛，根赤（形态），四月华紫（生长情况）。三月、五月采根（采集时月）。阴干（加工方法），治心腹痛（主治功用）。"（详见《御览》卷991。）

这是叙述的方式不同。现在再从各项内容比较如下。

（1）别名的不同。《吴普本草》各个药的别名很多，《神农本草经》的别名少。例如沙参的别名，《吴普本草》有"一名苦心""一名识美""一名虎须""一名白参""一名志取""一名文虎"6个别名；而《神农本草经》沙参仅有一个别名，作"一名知母"。又如络石的别名，《吴普本草》作"一名鳞石""一名明石""一名县石""一名云华""一名云珠""一名云英""一名云丹"7个别名；而《神农本草经》的络石仅有一个别名，作"一名石鲮"。两书的别名数量名称都不相同。

（2）性味不同。《神农本草经》各个药物，仅有一家药性；而《吴普本草》引有各家药性，如神农、黄帝、岐伯、雷公、桐君、扁鹊、医和、李氏等。

例如人参的性味，《神农本草经》作"甘微寒"；而《吴普本草》作"神农：甘，小寒；桐君、雷公：苦；岐伯、黄帝：甘，无毒；扁鹊：有毒"。

从这个例子亦可看出《吴普本草》所言药性，比《神农本草经》多得多，而且《吴普本草》所引"神农"的药性，和《证类本草》白字《本经》药的药性，又不相同。兹举两例如下。

例如"牛膝"条，《吴普本草》作"神农：甘"；而《证类本草》的《本草经》作"味苦"。又如"阳起石"条，《吴普本草》作"神农：酸，无毒"；而《证类本草》作"咸，微温"。绝大部分药物，《吴普本草》中的"神农"所言性味和《证类本草》中《本经》药性味，都不相同。

（3）《吴普本草》对于药物形态、采集、加工、畏恶七情都有记载。而《神农本草经》对此等资料，全无记载。

（4）关于药物产地的问题。《证类本草》白字《本草经》文不言产地；而《吴普本草》有产地。例如，石流黄生易阳或河西，人参与凝水石生邯郸，柴胡生宛句，菴蔄子生上党，茯苓生益州，当归生羌胡地，百合生荆山，像这样具体的出产处地名，《神农本草经》是没有的。根据上述理由，《吴普本草》6卷绝非吴普修订的《神农本草经》，因此《神农本草经》就不能用"吴普等述"来题署了。

另外，孙氏在《校定神农本草经序》中说："其普所称，有神农说者，即是《本经》，亦据增其药物。"

按孙氏意见，凡是《吴普本草》中提及"神农"者，该药即属《神农本草经》的药。就这样，孙氏把一些《名医别录》药收入书中。

试看《孙本》页92"粟米"条，"粟米味咸微寒"，而《吴普本草》中记载，"陈粟，神农：苦，无毒。"又《孙本》页93"黍米"条，"黍米味甘温"；《吴普本草》中记载，"黍，神农：甘，无毒。"《孙本》就根据《吴普本草》的"粟米""黍米"两条订为《本草经》文，但各种本草，皆不以"粟米""黍米"为《本经》药。

在《证类本草》中白字《本草经》文和墨字《名医别录》文，是混合夹杂书写的。通检《证类本草》全书，没有一条纯是白字《本草经》文，都夹杂有墨字《名医别录》文。可是《孙本》的"升麻"条，就把《证类本草》中"升麻"条全部墨字当作《本草经》文来处理，这显然与事实不符了。

按照孙氏意见，凡是《吴普本草》中"有神农说者，即是本经"。可是下列药都有"神农说者"，而孙氏又为何不据以增补呢？

乌喙，《吴氏本草》载，"神农：有毒。"（《御览》卷990。）

侧子，《吴氏本草》载，"神农：有大毒。"（《御览》卷990。）

芫花根，吴普云，"神农：苦，有毒。"（《证类本草》卷14木下，页360下栏

3行，1957年人卫版。)

上述3药在《吴普本草》中，均引有"神农"字样，可是孙星衍均未增补作《本草经》的药，孙氏所订的原则，是自相矛盾的。

十四、论《吴普本草》药物条文中记的药名可作辑本专条列出

《吴普本草》药物条文记的药名，有两类：一类是"叙述文"中记的药名；一类是"七情畏恶"药例中记的药名。兹分别讨论如下。

（一）《吴普本草》"叙述文"记的药名

在《吴普本草》药物"叙述文"中，记的药名很多，其中有些药名，是吴普作过专条论述，并被《御览》（以下简称《御览》）所援引。兹将这些药名列举如下。

（1）巴豆。《御览》卷993，有吴普云："叶如大豆。"文中"大豆"，吴普作过专条论述，见《御览》卷841引《吴氏本草》有"大豆"。

（2）白及。《御览》卷990，有吴普云："茎叶如藜芦。"文中"藜芦"，吴普作过专条论述，见《御览》卷990引《吴普本草》有"藜芦"。

（3）磁石。《御览》卷985"丹砂"，吴普云："畏磁石。"文中"磁石"，在《御览》卷988引《吴普本草》有"磁石"条。

（4）水银。《御览》卷985"丹砂"，吴普云："能化朱成水银。"文中"朱"即"丹砂"。

（5）冬华。《御览》卷988"玉泉"条，吴普云："畏冬华。"文中所记的"冬华"即"款冬"。《艺文》卷81引《吴普本草》有"款冬"条。

（6）芍药。《御览》卷991"玄参"，吴普云："似芍药。"文中"芍药"，《御览》卷990引《吴普本草》有芍药。

（7）白头翁。《御览》卷805，吴普云："如白头翁。"文中"白头翁"，《御览》卷990引《吴普本草》有"白头翁"。

（8）细辛。《御览》卷980"蒺藜"，吴普云："得细辛良。"文中"细辛"，见《御览》卷989引《吴普本草》有"细辛"。

（9）桔梗。《御览》卷991"木防己"，吴普云："白根外黄似桔梗。"又《御

览》卷993"房葵"，吴普云："根大如桔梗。"文中"桔梗"，《御览》卷993引《吴氏本草》有"桔梗"。

（10）葛。《御览》卷991"木防己"及卷990"秦钩吻"，俱有，吴普云："叶如葛。"文中"葛"，《御览》卷995引《吴普本草》有"葛根"。

（11）萆薢。《御览》卷990"狗脊"，吴普云："如萆薢。"文中"萆薢"，《御览》卷991引《吴普本草》有"萆薢"。

（12）莽草。《御览》卷992"茵芋"条，吴普云："状如莽草而细。"文中"莽草"，见《御览》卷993引《吴氏本草》。

（13）藜芦。《御览》卷990"白及"条，吴普云："茎叶如藜芦。"文中"藜芦"，见《御览》卷990引《吴氏本草》。

（14）甘遂。《御览》卷989"署豫"，吴普云："恶甘遂。"文中"甘遂"，《御览》卷993引吴普有"甘遂"。

（15）茯苓。《御览》卷989"猪苓"，吴普云："如茯苓。"文中"茯苓"，《御览》卷989引《吴普本草》有"茯苓"。

（16）鸡子黄。《御览》卷988"太一禹餘粮"及《后汉书》注卷94所引"牛黄"条，俱有吴普云："如鸡子黄色。"文中"鸡子黄"，《御览》卷928引吴普有"丹鸡卵"。

（17）梅。《御览》卷991"山茱萸"，有吴普云："叶如梅。"文中"梅"，见《初学记》卷28引《吴普本草》有"梅核"。《御览》卷970引吴普有"梅实"。

（18）瓜子。《御览》卷993"蒲阴实"条，吴普云："延蔓如瓜。"文中"瓜"，见《御览》卷978引《吴氏本草》有"瓜子"条。

（19）麻。《御览》卷992"云实"条，吴普云："叶如麻。"文中"麻"即"麻实"，见《御览》卷995引吴普有"麻子中人"。

（20）麦。《御览》卷992"紫威"，吴普云："如麦。"文中"麦"，一本作"麳"。但《御览》卷838引《吴普本草》有"大麦""麦种"。

（21）豆。《御览》卷990"牡蒙"，吴普云："实黑大如豆。"文中"豆"，广义指豆类，狭义指大豆。《肘后方》"治卒中风不语，煮豆煎汁如饴含之。"此文中"豆"即指大豆而言。按，大豆是《别录》药，见《证类》页486。《御览》卷841引《吴普本草》有"生大豆"。

（22）大豆。《御览》卷993"巴豆"，吴普云："叶如大豆。"文中"大豆"，《御览》卷841引《吴普本草》有"生大豆。"

以上各例，都是《吴普本草》"药物叙述文"中记的药名，这些药名，吴普作过专条论述，并为《御览》引吴普有此专条。

如芍药、草薢、茯苓、白头翁等，这些药名有一共同特点，就是它们都是《本经》药，或是《别录》药。从这里可以得出这样结论，凡《吴普本草》药物"叙述文"中，记有《本经》药或《别录》药的都可视为被吴普作过专题论述过的。有些见于《御览》所援引，有些未见《御览》所援引，此因《吴普本草》所载药441 种，《御览》援引的仅半数，还有半数未被《御览》所援引的缘故。

《吴普本草》是以《本草经》修订的，所以《吴普本草》中包含有《本经》药。吴普在修订时，增加"名医附经"为说的内容（即"名医别录"的内容），所以《吴普本草》中也包含有《别录》药。

根据这些事实，可以确定，凡在吴普药物条文中，记有《本经》药、《别录》药，都可视为吴普专条论述过的药物，在这些药物中，有些虽未被《御览》援引过，但从某些《本经》药、《别录》药曾被《御览》援引的例子来对比，则未被《御览》援引过的药物，亦可作为辑本的专条列出。

兹将《吴普本草》"叙述文"中记有《本经》药、《别录》药作为辑本专条列出的，列出如下。

1.《吴普本草》药物"叙述文"中记有的《本经》药名

（1）水银。《御览》卷 985"丹砂"，吴普云："能化朱成水银。"文中"水银"，见《证类》页 107，《本经》有记载。

（2）云母。《御览》卷 987"凝水石"，吴普云："如云母也。"文中"云母"，见《证类》页 80，《本经》有记载。

（3）铁。《御览》卷 987"流黄"，吴普云："能化金银铜铁。"文中"铁"，见《证类》页 115，《本经》有记载。

（4）桃。《御览》卷 993"满阴实"，吴普云："叶、实如桃。"又卷 993"鬼箭"，吴普云："叶如桃。"文中"桃"，《证类》页 471 有"桃核人"，是《本经》药。

（5）竹。《御览》卷 990"狗脊"，吴普云："茎节如竹，根黄白亦如竹。"文中"竹"，《证类》页 316 有"竹叶"，是《本经》药。

（6）兰草。《御览》卷 990"泽兰"，吴普云："叶如兰。"文中"兰"，《证类》页 186 有"兰草"，是《本经》药。

（7）蓝实。《御览》卷 992"牛膝"及《御览》卷 993"因尘"，俱有吴普云：

"叶如蓝。"文中"蓝",《证类》页173有"蓝实",是《本经》药。

（8）酸枣。《御览》卷991"山茱萸",吴普云："实如酸枣。"文中"酸枣",见《证类》页298有"酸枣",是《本经》药。

（9）藁本。《御览》卷990"芎䓖",吴普云："文赤如藁本。"文中"藁本"见《证类》页212,《本经》有记载。

（10）马。《御览》卷991"奄闾",吴普云："驴马食仙去。"文中"马",见《证类》页374有"白马茎",是《本经》药。

2. 《吴普本草》药物"叙述文"中记有的《别录》药名

（1）金、银。《御览》卷987"流黄",吴普云："能化金银铜铁。"文中"金、银",《证类本草》卷4,页109"金屑"和页110"银屑"俱属《别录》药。

（2）玉屑。《御览》卷988"长石",有吴普云："润泽,玉色。"文中"玉"是《别录》药,《证类》页81有"玉屑"。

（3）荠苨。《御览》卷993"桔梗",有吴普云："叶如荠苨。"文中"荠苨",《证类》页233有"荠苨",是《别录》药。

（4）生姜。《御览》卷990"白及",有吴普云："茎叶如生姜。"文中"生姜",《证类》页194有"生姜",是《别录》药。

（5）松根。《御览》卷981"茯苓",有吴普云："生大松根下。"文中"松根",《证类》页291"松脂"条中有"松根",是《别录》药。

（6）琥珀。《御览》卷928"丹鸡卵",有吴普云："可作琥珀。"文中"琥珀",《证类》页297有琥珀,是《别录》药。

（7）马齿。《御览》卷988"长石",有吴普曰："理如马齿,润泽,玉色。"文中"马齿""玉"俱是《别录》药。《证类》页81有"玉屑",页374"白马茎"条下有"马齿"。

（8）荏。《御览》卷991"丹参",吴普云："如荏。"文中"荏",《证类》页507有"荏",是《别录》药。

（9）芥、芜菁。《御览》卷991"白沙参",吴普云："实白如芥,根大白如芜菁。"文中"芥",《证类》页505有"芥",是《别录》药。文中"芜菁",《证类》页501有"芜菁",是《别录》药。

（10）韭。《御览》卷989"麦门冬",吴普曰："叶如韭。"文中"韭",《证类》页511有"韭",属《别录》药。

（11）芋。《御览》卷991"鬼督邮",吴普曰："根如芋子。"又《御览》卷

989 "署豫"，吴普曰："类芋。"文中"芋"，《证类》页 468 有"芋"，属《别录》药。

（12）葵。《御览》卷 989 "细辛"，吴普曰："叶如葵。"文中"葵"，《证类》页 499 "冬葵子"条下有"葵根"，属《别录》药。陶弘景注云："秋种葵。"孟诜云："葵主疳疮。"

（13）酒。《御览》卷 991 "翘根"，吴普云："以作蒸饮酒病人。"文中"酒"，《证类》页 487 有"酒"，是《别录》药。

（二）《吴普本草》"七情畏恶"药记的药名

"七情畏恶"药中的药名，吴普作过专条论述，并为《御览》所援引。兹将这些药名列举如下。

（1）乌头、玄参。《御览》卷 841 有吴普云："杀乌头毒，并不用玄参。"文中"乌头"，吴普曾作过专条论述，见《御览》卷 990 引《吴氏本草》，有"乌头"。文中"玄参"，吴普亦曾作过专条论述，见《御览》卷 991 引《吴氏本草》，有"玄参"。

（2）乌喙。《御览》卷 841 "大豆黄卷"条，吴普云："得乌喙……佳。"文中"乌喙"，见《御览》卷 990 引《吴氏本草》有"乌喙"。

（3）蜜。《御览》卷 841 "大豆黄卷"条，吴普云："共蜜和佳。"文中"蜜"，见《御览》卷 988 引《吴氏本草》有"石蜜"。

（4）食蜜。《御览》卷 838 "大麦"条，吴普云："食蜜为使。"文中"食蜜"，见《御览》卷 857 引《吴氏本草》有"食蜜"。

（5）赤石脂。《御览》卷 993 "千岁垣中肤皮"，吴普云："得赤石脂共治。"文中"赤石脂"，《御览》卷 987 引《吴普本草》有"赤石脂"。

从这些例子，可以看出，吴普药物条文"七情畏恶"中记的药名，也是《吴普本草》专条论述的药。

《吴普本草》原书载药 441 种，而《御览》见引的仅是半数，还有半数未被《御览》援引过，未被《御览》见引的"七情畏恶"药名，仍可看作吴普所作专条论述过的药名。因为"七情畏恶"是药物配伍宜忌，是通过临床实践得来，也是各药物相互配伍，相互依赖共存的。所以"七情畏恶"中的药名，都是《吴普本草》收录的药名。

另外，在《吴普本草》药物"七情畏恶"中所记的药名，绝大部分是《本经》

药，或是《别录》药。为此本书将《吴普本草》药物条文"七情畏恶"中，所记药名均作为本辑本的专条列出。

兹将《御览》所引《吴普本草》药物"七情畏恶"中的药名，参考《证类本草》列举如下。

（1）干姜、苦参。《御览》卷980"蒺葜"，吴普云："畏干姜、苦参。"文中"干姜"见《证类》页193，是《本经》药。文中"苦参"见《证类》页198，是《本经》药。

（2）干漆、蜀椒、理石。《御览》卷988"龙角"，吴普云："畏干漆、蜀椒、理石。"文中"干漆""蜀椒""理石"俱是《本经》药，见《证类》页301、页340、页116。

（3）前胡、牡蛎、天雄、鼠屎、杏子、海藻、龙胆。《御览》卷841"大豆黄卷"，吴普云："得前胡、乌喙、杏子、牡蛎、天雄、鼠矢共蜜和佳，不欲海藻、龙胆。"文中"前胡"，《证类》页210有"前胡"，是《别录》药。文中"牡蛎"，《证类》页412有"牡蛎"，是《本经》药。文中"天雄"，《证类》页244有"天雄"，是《本经》药。文中"鼠屎"，《证类》页402有"鼠屎"，是《本经》药。文中"杏子"，见《证类》页473"杏核人"，是《本经》药。文中"海藻"，见《证类》页221"海藻"条，是《本经》药。文中"龙胆"，见《证类》页163"龙胆"条，是《本经》药。

（4）牡蛎、白薇。《御览》卷995"麻子"及"麻子中人"，俱有吴普云："畏牡蛎、白薇""不欲牡蛎、白薇。"文中"牡蛎"，《证类》页412有"牡蛎"，是《本经》药。文中"白薇"，《证类》页213有"白薇"，是《本经》药。又《御览》卷995"麻勃"，吴普云："畏牡蛎。"文中"牡蛎"，《证类》页412有"牡蛎"，是《本经》药。

（5）咸水。《御览》卷985"丹砂"条，有吴普云："恶咸水。"

另外在"乌喙"条中，讲到乌喙的畏恶，和乌头畏恶相同，但《御览》未引乌头畏恶，则乌头畏恶可从《证类本草》查证之。

《证类本草》中"乌头，附子畏恶"，追本求源出于陶弘景作的《集注》。陶氏作《集注》，参考当时多种《本草经》，其中也包含有《吴普本草》。所以《证类本草》"乌头""附子"畏恶中的药名，多数是《吴普本草》"专条论述"的药物。

《御览》卷990"乌喙"条，有吴普云："所畏恶使，尽与乌头同。"查《御览》卷990"乌头"仅引吴普文，省去畏恶未引。但《证类》页243"乌头"的条末有："莽草为之使，反半夏、栝楼、贝母、白敛、白及，恶藜芦。"

在这些药名中，有很多药名，是吴普作过专条论述，并为《御览》所援引的，兹将《御览》所引吴普论述过药名，摘录如下。

文中"莽草"，见《御览》卷993引《吴普本草》有"莽草"。

文中"半夏"，见《御览》卷992引《吴普本草》有"半夏"。

文中"栝楼"，见《御览》卷992引《吴普本草》有"栝楼"。

文中"白及"，见《御览》卷990引《吴普本草》有"白及"。

文中"藜芦"，见《御览》卷990引《吴普本草》有"藜芦"。

文中"贝母"，见《证类》页205，《本经》有记载。

文中"白敛"，见《证类》页255，《本经》有记载。

以上7条，同是乌头的畏恶药，前5条均见《御览》引过《吴普本草》的，说明前5条是吴普作过专条论述的药物。后两条"贝母""白敛"虽未被《御览》援引过。但由于后两条和前5条共存于乌头"畏恶药"中，从对比论点看，则后两条"贝母""白敛"亦当是《吴普本草》中专条论述的药物。

此外和"乌喙"相同的例子，还有"侧子"。

《御览》卷990"侧子"条，有吴普曰："畏恶与附子同。"

查《御览》卷990"附子"引《吴普本草》，无畏恶内容。当是省去。但《证类》页241"附子"条末有："地胆为之使，恶蜈蚣，畏防风、黑豆、甘草、黄芪、人参、乌韭。"

在此畏恶文中，共有8味药名。这8味药都是吴普作过专条论述的药物，其中3味为《御览》援引过吴普文，见下文。

文中"防风"，见《御览》卷992引吴普文有"防风"。

文中"黑豆"，见《御览》卷841引吴普文有"大豆"（"黑豆"即"大豆"）。

文中"人参"，见《御览》卷991引吴普文有"人参"。

以上3味是吴普作过专条论述，并为《御览》援引过。其余5味和上述3味，都是附子条"畏恶"中共存药名。从对比论点看，其余5味也应是《吴普本草》中专条论述的药物，而且它们都是《本经》药，兹将其药名列举如下。

文中"地胆"，见《证类》页454，《本经》有记载。

文中"蜈蚣"，见《证类》页447，《本经》有记载。

文中"甘草"，见《证类》页148，《本经》有记载。

文中"黄芪"，见《证类》页178，《本经》有记载。

文中"乌韭",见《证类》页278,《本经》有记载。

十五、《吴普本草》"七情畏恶药"讨论

"七情畏恶药",指单行、相须、相使、相畏、相恶、相反、相杀7种药物配伍所发生作用的类型。"七情"名称,最早见于《神农本草经》序例,但现存《本经》药物条文,并无具体内容记载。但是《吴普本草》残文中,有具体内容记载。为了研究方便,将《吴普本草》残文中"七情畏恶药"的资料,摘录如下。药名前号码,为《吴普本草》药物序号。

1 玉泉 畏冬华,恶青竹。

此条见《御览》卷988页6。《证类本草》页82"玉泉"条,有"畏冬花",缺"恶青竹"。

4 丹砂 畏磁石,恶咸水。

此条见《御览》卷985页4。《证类》页79"丹砂"条同。

55 署豫 恶甘遂。

此条见《御览》卷989页8。《证类》页160作"署预,紫芝为之使,恶甘遂"。《御览》引《吴普本草》"署豫"的畏恶只有"恶甘遂"一种。而《证类》"署预"畏恶有两种。

陶弘景在《本草经集注》"七情药·小序"中云:"《神农本经》相使正各一种,兼以《药对》参之,乃有两三。"由此可见《吴普本草》中"署豫"的畏恶是出于《本经》。而《证类》中"署预"的畏恶,疑杂有《药对》的内容。

80 菥蓂 得细辛良,恶干姜、苦参。

此条见《御览》卷980页4。《证类》页167"菥蓂"条作"得荆实、细辛良,恶干姜、苦参"。

165 千岁垣中肤皮 得姜、赤石脂共治。

此条见《御览》卷993页3。

172 侧子 畏恶与附子同。

此条见《御览》卷990页2。《证类》页244侧子为《别录》药,无"畏恶"内容。《吴氏本草》记载,"畏恶与附子同"。《本草经集注》"七情药""附子"条作"地胆为之使,恶吴公,畏防风、甘草、黄芪、人参、乌韭"。

173 乌喙 所畏恶使,尽与乌头同。

此条见《御览》卷990页2。《集注》"七情药"中"乌喙"与"乌头"并列，其畏恶作"莽草为之使，反栝蒌、贝母、白敛、白及，恶藜芦"。《证类》"乌喙"合并在"乌头"条下，其畏恶与《集注》"七情药"中"乌头""乌喙"同。《吴普本草》"乌喙"既云"所畏恶使尽与乌头同"，说明"乌头""乌喙"在《吴普本草》中分别为两条，而《集注》合并为1条。《证类》亦并为1条。《证类》向上推溯源于《集注》，则《证类》对"乌头""乌喙"合并，亦源于《集注》。

202　龙角　畏干漆、蜀椒、理石。

此条见《御览》卷988页7。《集注》"七情药"中"龙角"条畏恶同。

258　麻子中人　不欲牡蛎、白薇。

此条见《御览》卷995页2。《集注》"七情药"中"麻子"的畏恶作"畏牡蛎、白薇，恶茯苓"。

259　麻蓝　畏牡蛎、白薇。

此条见《御览》卷995页2。

260　麻勃　畏牡蛎。

此条见《御览》卷995页2。《证类》页482谓：麻蕡一名麻勃，畏牡蛎、白微，恶茯苓。

261　生大豆　杀乌头毒，并不用玄参。

此条见《御览》卷841页6。《证类》页486"生大豆"条作"杀乌头毒。恶五参、龙胆。得前胡、乌喙、杏人、牡蛎良"。

262　大豆黄卷　得前胡、乌喙、杏子、牡蛎、天雄、鼠屎共蜜和佳。不欲海藻、龙胆。

此条见《御览》卷841页6。《证类》"大豆黄卷"原先与"生大豆"共为1条，其畏恶与"生大豆"同。

265　大麦　食蜜为使。

此条见《御览》卷898页8。《集注》"七情药"中"大麦"条畏恶同。

以上共录《吴普本草》"七情畏恶药"14条。由于《吴普本草》久佚，据文献所载，原书收药441种，现仅存残文270条，则原书的"七情畏恶药"，要比14条多。

所谓"残文"，指现存文献中所存《吴普本草》佚文，没有一条是完整的条文，都是残缺不全。《御览》所引"吴氏曰"的资料，都是节录片断的文字。

例如，《御览》卷990引"吴氏曰"有"乌头""附子""侧子""乌喙"4条佚文，在乌喙条末记有"所畏恶，尽与乌头同"。查《御览》引"吴氏曰""乌头"条，并无畏恶内容，说明《御览》所引，是节录部分文字，未录全文。

又如"侧子"条末，亦记有"畏恶与附子同"。据此，"附子"条应有畏恶内容，查《御览》引"吴氏曰""附子"条，并无畏恶内容，说明《御览》引"吴氏曰""附子"条，也是节录部分文字。

不仅《御览》引吴普文是节录的文字，《证类本草》所引吴普文也是节录片断的文字。

同一条吴普文，《御览》和《证类》节录片断文也不相同。例如，《吴普本草》"石钟乳"条，《证类》所引吴普文有"一名虚中"，而《御览》引吴普文则无此一名。

这些例子都说明吴氏书被文献所保存下来的佚文，都是残缺的文字。

《吴普本草》是在《神农本草经》基础上修订的，《本草经集注·序录》云："是其《本经》……吴普、李当之更复损益。"《嘉祐本草·补注所引书传》："《吴氏本草》，魏·广陵人吴普撰。普，华佗弟子，修《神农本草》成四百四十一种。"

由于《吴普本草》是在《神农本草经》的基础上修订，所以《吴普本草》"七情畏恶"的内容，是来源于《本草经》。同时也提示《本草经》应有"七情畏恶"的内容。

十六、《吴普本草》产地讨论

明清时期中日学者所辑的《神农本草经》，俱无产地，《证类本草》白字《本经》文，亦无产地。盖药物产地，从《新修本草》即被删掉。敦煌出土《本草经集注》残片"天鼠屎"条有"生合浦山谷"作朱书《本经》文，说明古《本经》药物是有产地的。

现存《吴普本草》残文，有很多药都记有产地，今摘录如下。药名前号码，为《吴普本草》药物序号。

4 丹砂 生武陵。（武陵，汉为武陵郡，今湖南沅陵。）

7 白青 生豫章。（豫章，汉代地名，今江西南昌。）

8 扁青 生蜀郡。（蜀郡，秦时地名，今四川成都。）

9 石胆 生羌道。（羌道，今甘肃岷县。）

11 朴消石 生益州，或山阴。（益州，今四川。）

13　矾石　生河西或陇西，或武都、石门。（河西，今陕西。陇西，今甘肃陇西县。武都，今甘肃武都县。）

14　紫石英　生太山或会稽。（太山，今山东泰安。会稽，今浙江绍兴。）

15　白石英　生太山。（太山，今山东泰安。）

20　五石脂　生南山或海涯。（南山，《别录》作齐区山。海涯，指海边。）

21　赤符　生少室，或生太山。（少室，秦时地名，今河南登封。太山，今山东泰安。）

22　黄符　或生嵩山。（嵩山在今河南。）

23　白符　生少室天娄山，或太山。（少室，秦时地名，今河南登封。太山，今山东泰安。）

24　黑符　生洛西山空地。

25　太一禹餘粮　生太山。（太山，今山东泰安。）

29　钟乳　或生太山山谷阴处岸下。（太山，今山东泰安。）

31　流黄　或生易阳，或河西。（易阳，今河北邯郸。河西，今陕西。）

33　凝水石　或生邯郸。（邯郸，在今河北。）

34　阳起石　或生太山，或阳起山。（太山，今山东泰安。）

36　长石　生长子山。（长子山，在今山西长子县。）

38　白礜石　生汉中，或生魏兴，或生少室。（汉中，在今陕西。魏兴，今陕西安康。少室，今河南登封。）

40　戎盐　生邯郸、西羌、戎胡山。（邯郸，在今河北。西羌，今甘肃岷县。戎胡山，《别录》作胡盐山，今甘肃秦岭山脉。）

45　鬼督邮　或生太山，或少室。（太山，今山东泰安。少室，今河南登封。）

47　猪苓　或生宛朐。（宛朐，今山东菏泽。）

48　茯苓　或生益州。（益州，今四川。）

51　麦门冬　生山谷肥地。

53　委萎　生太山山谷。（太山，今山东泰安。）

55　署豫　或生临朐、钟山。（临朐，在今山东。）

58　人参　或生邯郸。（邯郸，在今河北。）

61　龙刍　生梁州。

64　牛膝　生河内或临邛。（河内，今河南沁阳、武陟县一带。临邛，今四川邛崃。）

65　卷柏　生山谷。

72　茈胡　生宛朐。（宛朐，今山东菏泽。）

77　奄闾　或生上党。（上党，今山西长子县。）

79　菟丝实　生山谷。

80　菥蓂　生道旁。

81　荠实　生田野。

85　肉苁蓉　生河东山阴地，或代郡雁门。（河东，今山西。代郡，今山西代县。雁门，今山西代县。）

86　因尘　生田中。

89　醮（香蒲）　生南海池泽中。（南海，广东沿海。）

93　徐长卿　或生陇西。（陇西，今甘肃陇县。）

95　蕤核　生池泽。

96　当归　或生羌胡地。（羌胡，今甘肃地区。）

97　防风　或生邯郸上蔡琅玡者良。（邯郸，在今河北。上蔡，在今河南。琅玡，今山东诸城县海边小岛。）

100　黄连　或生蜀郡，太山之阳。（蜀郡，今四川成都。太山，今山东泰安。）

105　芎䓖　或生胡无桃山阴，或斜谷西岭，或太山。（斜谷西岭，今陕西武功。太山，今山东泰安。）

107　麻黄　生河东。（河东，今山西。）

113　丹参　生桐柏，或生太山山陵阴。（桐柏，今河南、湖北间桐柏山。太山，今山东泰安。）

114　厚朴　生交趾。（交趾，今越南的北部。）

117　玄参　或生宛朐山阳。（宛朐，今山东菏泽。）

118　白沙参　生河内川谷，或般阳续山。（河内，今河南武涉。般阳，今山东淄川。）

122　山茱萸　或生宛朐、琅玡，或东海承县。（宛朐，今山东菏泽。琅玡，今山东诸城县海边小岛。东海承县，今江苏东海。）

125　通草　生石城山谷。（石城，今河南林县。）

127　岑皮　或生宛朐水边。（宛朐，今山东菏泽。）

130　百合　生宛朐及荆山。（宛朐，今山东菏泽。）

134 豕首 生宛朐。（宛朐，今山东菏泽。）

135 鬼箭 生野田。

136 紫威 或生真定。（真定，今河北正定。）

142 黄孙 生西海川谷及汝南城郭垣下。（西海，《别录》作海西，今江苏东海县。汝南，在今河南。）

144 水萍 生池泽水上。

150 大黄 或生蜀郡北部，或陇西。（蜀郡，今四川成都。陇西，今在甘肃。）

152 莽草 生上谷山中，或宛朐。（上谷，今河北怀来。宛朐，今山东菏泽。）

157 芫华根 生邯郸。（邯郸，在今河北。）

158 淮木 生晋平阳，河东平泽。（晋，今山西。河东，今山西。）

159 秦钩吻 生南越山或益州，或生会稽东冶。（益州，今四川。会稽，今浙江绍兴。）

160 石长生 生咸阳，或同阳。（咸阳，在今陕西。）

162 蒲阴实（满阴实） 生平谷，或圃中。（圃中，即菜地。）

166 鬼臼 生九真山谷及宛朐。（九真，今南越河内以南，顺化以北等地。宛朐，今山东菏泽。）

171 附子 生广汉。（广汉，今四川梓潼县。）

174 羊踯躅华 生淮南。（淮南，今安徽寿县。）

179 半夏 或生野中。

185 泽兰 生下地水旁。

186 牡蒙 生河西山谷，或宛朐高山。（河西，今甘肃、陕西一带。宛朐，今山东菏泽。）

187 雷丸 或生汉中。（汉中，在今陕西。）

189 狼牙 生宛朐。（宛朐，今山东菏泽。）

192 白头翁 生嵩山川谷。（嵩山，在今河南登封。）

194 白及 生宛朐。（宛朐，今山东菏泽。）

195 虎掌 或生太山，或宛朐。（太山，今山东泰安。宛朐，今山东菏泽。）

197 王彐 生太山山谷。（太山，今山东泰安。）

201 龙骨 生晋地山谷阴大水所过处。（晋地，今山西。）

205　石蜜　生河源，或河梁。（河源，今青海。河梁，指黄河上游发源地。）

206　食蜜　生武都山谷。（武都，在今甘肃。）

214　伏翼　或生人家屋间。

220　石蚕　生汉中。（汉中，在今陕西。）

232　马刀　生池泽江海。

234　斑猫　生河内川谷，或生水石。（河内，即今河南地区。）

241　木瓜　生夷陵。（夷陵，今湖北宜昌。）

以上共列地名的药 86 条，该 86 条是从《吴普本草》270 条残文中摘取的。《吴普本草》原书载药为 441 种，其实有产地者应多于 86 种。

以上列出地名的 86 条药物，其分布范围遍及全国，以黄河流域为最多，南方较少，东北未见。

从地名产生的时间看，大都是汉及汉以前的地名。如白礜石生少室，少室为秦时地名；扁青生蜀郡，蜀郡亦秦时地名。

其中有些产地，是生长环境。如泽兰生下地水旁，水萍生池泽水上，卷柏、菟丝实生山谷，鬼箭、荠实生田野，蒲阴实生圃中，析蓂生道旁。

其中有些地方产多种不同的药。如宛朐（山东菏泽）产猪苓、茈胡、玄参、秦皮、百合、豕首、莽草、鬼臼、牡蒙、牙子、白及、虎掌 12 种。实际上宛朐并不出产这么多的药，盖宛朐为古代药材集散地的缘故。

《吴普本草》是吴普据古本《本草经》修订的，则古本《本草经》亦当有产地，但唐宋以后本草中所存《本草经》佚文，没有一条记有产地。但《证类本草》白字"本经序文"仍提示《本草经》记有产地——"药有土地所出。"

又陶弘景注文，亦提示《本草经》药记有产地。

《证类本草》页 88 "滑石"条，记有"生赭阳山谷"。陶弘景注云："赭阳县先属南阳，南阳汉哀帝置，明《本经》所注郡县，必后汉时也。"

《证类本草》页 128 "锡铜镜鼻"条，记有生"桂阳山谷"。《集注》中记载，"铅与锡，《本经》云：生桂阳。"

以上几例提示古《本草经》原来记有产地。自唐代修《唐本草》时，将《本草经》药产地全部删掉，后世本草沿袭《唐本草》旧例，所有《本草经》药俱无产地。明清时期中日学者所辑《本草经》亦无产地。

现存《吴普本草》残文记有产地，证明古《本草经》药物是记有产地的。

十七、《吴普本草》药物形态讨论

明清时期中日学者所辑《神农本草经》，皆无药物形态。《证类本草》白字《本经》文，亦无药物形态。但《吴普本草》残文，有很多药都记有药物形态，今摘录如下。药名前号码，为《吴普本草》药物序号。

3　白玉体　如白头翁。

4　丹砂　能化朱成水银。

7　白青　可消为铜。

11　朴消石　入土千岁不变。

14　紫石英　欲令如削，紫色达头如樗蒲者。

15　白石英　形如黑石英，白泽，长者二三寸。

16　青石英　如白石英，青端赤后者是。

17　赤石英　赤端白后者是。

18　黄石英　黄色如金在端者是。

19　黑石英　黑泽有光。

21　赤符　色绛，滑如脂。

22　黄符　色如独脑、雁雏。

25　太一禹餘粮　上有甲，甲中有白，白中有黄，如鸡子黄色。

29　钟乳　聚溜汁所成，如乳汁，黄白色，空中相通。

30　孔公孽　色青黄。

31　流黄　或五色黄，是番水石液，烧令有紫焰者。能化金、银、铜、铁。

33　凝水石　如云母色。

36　长石　理如马齿，润泽，玉色。

45　鬼督邮　茎如箭，赤，无叶。根如芋子。

47　猪苓　如茯苓。

48　茯苓　大松根下，入地三尺，或一丈。

51　麦门冬　叶如韭，肥泽丛生。实青黄。

53　委萎　叶青黄，相值如姜。

55　署豫　始生赤茎细蔓，五月花白，七月实青黄，八月熟落，根中白，皮黄，类芋。

58　人参　三月生叶，小兑，核黑。茎有毛。根有头足手面目如人。

64　牛膝　叶如夏蓝，茎本赤。

68　细辛　如葵叶赤色，一根一叶相连。

71　独活　此药有风花不动，无风独摇。

73　房葵　茎叶如葵，上黑黄，二月生根，根大如桔梗，根中红白。六月华白，七月八月实白。

77　奄闾　叶青厚，两两相值，七月花白，九月实黑。

85　肉苁蓉　长三四寸，蘽生。

86　因尘　叶如兰。

92　云实　叶如麻，两两相值，高四五尺，大茎中空，六月花，八月九月实。

97　防风　正月生，叶细圆，青黑黄白，五月花黄，六月实黑。

99　黄芩　二月生，赤黄，叶两两四四相值，茎中空，或方圆，高三四尺，四月花，紫红赤，五月实黑，根黄。

103　芍药　二月三月生。

104　桔梗　叶如荠苨，茎如笔管，紫赤，二月生。

105　芎䓖　叶香、细、青黑，文赤如藁本，冬夏聚生，五月华赤，七月实黑，茎端两叶，根有节，如马衔状。

113　丹参　茎华小方，如荏，毛，根赤。四月花紫。

117　玄参　二月生，叶如梅，毛，四四相值，似芍药，黑茎，茎方。高四五尺，华赤生枝间，四月实黑。

118　白沙参　三月生如葵，叶青，实白如芥。根大白如芜菁。

122　山茱萸　叶如梅，有刺毛。二月花如杏。四月实如酸枣赤。

123　狗脊　如萆薢，茎节如竹，有刺。叶圆青赤。根黄白，亦如竹根，毛有刺。又一经云：茎无节，根黄白如竹根，有刺。叶端圆赤。皮白有赤脉。

125　通草　叶青蔓延。

135　鬼箭　叶如桃如羽。

136　紫威　如麦根黑。

137　紫草　节赤，二月花。

142　黄孙　蔓延赤文，茎叶相当。

144　水萍　叶圆小，一茎一叶，根入水，五月花白。

150　大黄　二月卷生，生黄赤叶，四四相当，黄茎，高三尺许。三月花黄，五月实黑。根有黄汁。

154　巴豆　叶如大豆。

156　芫华　二月生，叶青，加厚则黑。花有子，紫赤白者，三月实落尽，叶乃生。

159　秦钩吻　叶如葛，赤茎，大如箭而方，根黄。

162　蒲阴实（满阴实）　延蔓如瓜，叶、实如桃。

170　乌头　正月始生，叶厚，茎方，中空，叶四四相当，与蒿相似。

171　附子　皮黑肌白。

172　侧子　是附子角之大者。

173　乌喙　形如乌头，有两歧相合，如乌之喙。

176　茵芋　状如莽草而细软。

178　蜀漆　如漆叶，与蓝菁相似。

179　半夏　叶三三相偶，二月始生，白花圆上。

180　款冬花　十二月花，花黄白。

181　牡丹　叶如蓬相值，黄色，根如指，黑中有毒核。

182　木防己　如葛，茎蔓延如芄，白根，外黄，似桔梗，内黑，文如车辐解。

183　蜀黄环　二月生，初生正赤，高二尺，叶黄，圆端，大茎。叶有汁黄白。五月实圆，根黄，纵理如车辐解。

185　泽兰　叶如兰，二月生，香，赤节。四叶相值枝节间。

186　牡蒙　圆聚生，根黄赤有文，皮黑中紫，五月花紫赤。实黑大如豆。

188　贯众　叶青黄，两两相对，茎黑，毛聚生。冬夏不死，四月花白，七月实黑。聚相连卷，旁行生。

189　狼牙　叶青，根黄赤，六月七月花。八月实黑。

190　藜芦　大叶，根小相连。

191　闾茹　叶圆黄，高四五尺，叶四四相当。四月花黄，五月实黑。根黄，有汁亦同黄，根黑头者良。

194　白及　茎、叶如生姜、藜芦也。十月花直上紫赤，根白相连。

196　假苏　叶似藜芦而细。

201　龙骨　是死龙骨，色青白者善。

219　海蛤　大节，头有文，文如磨齿。

262　大豆黄卷　大豆初出黄芽是也。

以上从《吴氏本草经》残文270种，摘录有形态的药共76条。原书载药441种，记有药物形态的药物实数应多于76条。

在上述76条中，有些药记有药物特性。如白青，可消为铜。流黄能化金、银、铜、铁。丹砂，能化朱成水银。朴消，入土千岁不变。

有些药记有药物生态。如署豫，始生，赤茎细蔓，五月花白，七月实青黄。又如黄芩，二月生，赤黄，叶两两四四相值，茎中空或方圆，高三四尺。四月花紫红赤，五月实黑，根黄。

《吴普本草》是吴普在《本草经》基础上修订的。《吴普本草》药物既然记有药物形态，则吴普所据的《本草经》亦当有药物形态。

现存《证类本草》卷12"桂"条陶弘景注，"《经》云：桂叶如柏叶泽黑，皮黄心赤"。文中"《经》云"，即指"《本草经》云"。由此可见，陶弘景所见的《本草经》，确有药物形态，和吴普所据的《本草经》有药物形态是一致的。

十八、《吴普本草》采药时月讨论

明清时期中日学者所辑《神农本草经》，俱无采药时月。《证类本草》白字《本经》药药物条文，没有一条记载采药时月。

现存《吴普本草》残文，有很多药记载药物采药时月。今摘录如下。药名前号码，为《吴普本草》药物序号。

4　丹砂　采无时。

9　石胆　二月庚子、辛丑采。

13　矾石　采无时。

14　紫石英　采无时。

15　白石英　采无时。

20　五石脂　采无时。

22　黄符　采无时。

25　太一禹馀粮　九月采，或无时。

29　钟乳　二月三月采，阴干。

31　流黄　八月九月采。

33　凝水石　采无时。

34　阳起石　采无时。

38　白礜石　十二月采。

45　鬼督邮　三月、四月、八月采根，日干。

47　猪苓　八月采。

48　茯苓　二月、七月采。

51　麦门冬　采无时。

53　委萎　二月、七月采。

55　署豫　二月、三月、八月采根。

58　人参　三月、九月采根。

60　石龙芮　五月五日采。

61　龙刍　七月七日采。

62　落石　采无时。

64　牛膝　二月、八月采。

68　细辛　二月、八月采根。

71　独活　八月采。

72　茈胡　二月、八月采根。

73　房葵　三月三日采根。

77　奄闾　七月、九月、十月采。

80　薪蓂　四月采，干二十日。

81　荠实　五月五日采，阴干。

85　肉苁蓉　二月、八月采，阴干。

86　因尘　十一月采。

88　王不留行　三月、八月采。

92　云实　十月采。

93　徐长卿　三月采。

94　翘根　二月、八月采。

95　蕤核　八月采。

97　防风　二月、十月采根，日干。

99　黄芩　二月至九月采。

105　芎䓖　三月采根。

107　麻黄　四月、立秋采。

113　丹参　三月、五月采根，阴干。

118　白沙参　三月采。

121　枳实　九月、十月采，阴干。

123　狗脊　二月采。

125　通草　正月采。

127　岑皮　二月、八月采。

134　豕首　五月采。

135　鬼箭　正月、二月、七月采，阴干。

136　紫威　正月、八月采。

144　水萍　三月采，日干之。

150　大黄　三月采根。

152　莽草　五月采。

155　甘遂　二月、八月采。

156　芫华　三月、五月采花。

157　芫华根　九月、八月采，阴干。

159　秦钩吻　正月采。

162　蒲阴实　七月采。

166　鬼臼　二月、八月采根。

171　附子　八月采。

172　侧子　八月采。

178　蜀漆　五月采。

181　牡丹　二月、八月采，日干。

182　木防己　二月、八月、十月采叶、根。

183　蜀黄环　三月采根。

185　泽兰　三月三日采。

186　牡蒙　三月采根。

187　雷丸　八月采。

188　贯众　三月、八月采根，五月采叶。

189　狼牙　正月、八月采根。

190　藜芦　二月采根。

191　闾茹　三月、五月采根。

194　白及　二月、八月、九月采。

195 虎掌 立秋九月采。

198 恒山（常山） 二月、八月采。

201 龙骨 十二月采，或无时。

209 雁肪 采无时。

214 伏翼 立夏后采，阴干。

219 海蛤 采无时。

232 马刀 采无时。

248 瓜子 七月七日采。

257 胡麻 立秋采。

261 生大豆 九月采。

264 赤小豆 九月采。

268 黍 七月取，阴干。

270 小豆花 七月采，阴干四十日。

以上共摘采药时月87条。该87条是从《吴普本草》残文录的。按吴氏书原载药441种，现存残文仅有270条，则原书所记采药时月，当比87条要多。

《吴普本草》是吴普在《神农本草经》基础上修订的。《吴普本草》所记采药时月，当来自《本草经》，则《本草经》应有采药时月。但明清时期中日学者所辑《神农本草经》，其药物无一条记有采药时月。

《证类本草》各条下所记"采药时月"，都作黑字《别录》文，没有一条作白字《本经》文。

但《证类本草》白字《本经》序文，又提到《本经》有"采药时月"。序文明言有"采造时月"。

陶弘景作《本草经集注》时，在注文中多次提到《本经》药有"采药时月"。

例如"瞿麦"条，原是《本经》药，其条末有"立秋采实"。《证类本草》对此四字作黑字《别录》文，不作白字《本经》文。但条后有陶弘景注云："按《经》云采实。"从陶注提示，《本经》药原是有"采药时月"，否则陶弘景不会说"按《经》云采实"。

又如"桑根白皮"条，《御览》卷955引《神农本草经》曰："桑根白皮，常以四月采，或采无时。"

又如"菁实"条，《御览》卷993引《本草经》曰："菁实，八月、九月采实。"

以上两例，说明《御览》所据的《本草经》药物，是记有采药时月的。

同理，《吴普本草》记有"采药时月"，则吴普所据的《本草经》亦当有"采药时月"。

十九、《吴普本草》 佚文讨论

《吴普本草》是魏·吴普撰，原书久佚，其文散见《御览》及《证类本草》中。清代焦循、孙星衍收录《吴普本草》文，皆以《御览》为主。《御览》以外的书很少收录。兹将《御览》以外的书所引吴普文摘录如下，其中有些文并加以讨论。

1. 《本草汇言》

刺蘪梨，化癥。（《本草汇言》卷 4 引。）

2. 孙星衍将《御览》所引"本草经曰"之文，注出吴普

蓍实，味苦、酸，平，无毒。主益气，充肌肤，明目，聪慧，先知。久服不饥不老，轻身。生少室山谷。八月、九月采实，暴干。御览。（孙星衍《神农本草经》页 23 引"吴普曰"。）

《御览》卷 993 引"本草经曰"："蓍实，味苦，酸，平，无毒。主益气，充肌肤，明目，聪慧，先知，久服不饥不老，轻身。生少室山谷。八月、九月采实，暴干。"比较两条文字全同。此乃是孙星衍以《御览》引"本草经曰"文字为吴普文。

3. 王念孙将《御览》所引"本草经曰"之文，注出吴普

（1）支子，叶两头尖如樗蒲，剥其子如玺而黄赤。

王念孙《广雅疏证》卷 10 页 1359 "栀子"条疏注，"《御览》引《吴普本草》云：'支子，叶两头尖如樗蒲，剥其子如玺而黄赤。'"此文原出于《御览》。《御览》卷 959 页 7 引"本草经曰"："支子，一名木丹。叶两头尖，如樗蒲形，剥其子如玺而黄赤。"

比较两条文字全同。而王念孙不云《御览》引《本经》，而云引《吴普本草》。

（2）牡荆，子黑，中有核。（《广雅疏证》卷 10 页 1335。）

"牡荆"条引《御览》，"《吴普本草》云：牡荆，子黑，中有核。"

4. 焦循将《御览》所引"甄氏本草"注为吴普

复盆，一名马瘘，一名陆荆。

焦循辑《吴普本草》据《御览》引。今本《御览》所载"复盆,一名马瘘,一名陆荆"文系冠以"甄氏本草曰"。不知焦循是误"甄"为"吴";还是所据《御览》文,即是"吴氏本草曰"。按今本《御览》校之,是焦循误"甄"为"吴"所致。

5.《要术》校注中引《吴普本草》文

梨,金创乳妇不可食。

《要术》(据商务版丛书集成本)引本草资料,有两类:一类是正文大字引的;一类是校注文双行小字引的。

在双行小字所引的资料中,往往夹杂校注者的一些话。

例如,卷4页76"梨"条下有双行小字注云:"吴氏本草曰金创乳妇不可食梨梨多食则损人非补益之物产妇蓐中及疾病未愈食梨多者无不致病咳逆气上者尤宜慎之"共50字。在此50字中,只有前13字(划有横线文字)属吴普文。后37字是校注者的话,并非吴普文。因古书无标点,分不清引文的段落,因此,笔者过去曾误校注者的话为吴普文。(见1987年人卫版《吴普本草》页78"梨"条。)

在《要术》全书中,类似这样的例子很多。例如卷2页27"大小麦"条开头有双行小字注文。在此注文中有"陶隐居本草云大麦为五谷长即今倮麦也一名䅆麦似矿麦唯无皮耳矿麦此是今马食者然则大矿二麦种别名异而世人以为一物谬矣"55字。在此55字中,前28字(划有横线文字)是陶弘景的注文(见《证类本草》卷25页492"大麦"条陶注),后27字为校注者的话,这些话皆不见于《证类本草》陶弘景注文中。

6.《吴普本草》佚文"畏恶相使"中记述的药物

(1)青竹。("玉泉"条引。《本经》有竹叶,而无青竹。青竹或指较新鲜的竹子。当竹子砍伐久置则变黄。)

(2)理石。("龙骨"条引。)

(3)干姜。("千岁垣中肤皮"及"菥蓂"条引。)

(4)苦参。("菥蓂"条引。)

(5)咸水。("丹砂"条引。)

(6)干漆。("龙骨"条引。)

(7)蜀椒。("龙骨"条引。)

(8)牡蛎。("麻蕴"条引。"麻蕴"即"麻蕡"。《御览》引作"麻蓝"。)

（9）前胡。（"大豆黄卷"条引。"前胡"是《别录》药。）

（10）天雄。（"大豆黄卷"条引。）

（11）龙胆。（"大豆黄卷"条引。）

（12）鼠屎。（"大豆黄卷"条引。"鼠屎"是《别录》药。）

（13）杏子。（"大豆黄卷"条引。"山茱萸"条引"二月华如杏"。）

（14）白薇。（"麻子中人"条引。）

（15）海藻。（"大豆黄卷"条引。）

（16）琥珀。（"丹鸡卵"条引。"琥珀"是《别录》药。）

7. 《吴普本草》记述药物形态中，提到某些药名

（1）生姜。（"白及"条云："茎叶如生姜。"）

（2）酸枣。（"山茱萸"条云："实如酸枣。"）

（3）荠苨。（"桔梗"条云："叶如荠苨。""荠苨"是《别录》药。）

（4）蒿。（"乌头"条云："与蒿相似。"）

（5）漆叶。（"蜀漆叶"条云："如漆叶。"）

（6）蓝菁。（"蜀漆叶"条云："与蓝菁相似。"）

（7）落藜。（"假苏"条云："叶似落藜而细。"）

（8）芄。（"木防己"条云："茎蔓延如芄。"）

《说文》云："芄，芄兰。"《尔雅》云："萑，芄兰。"郭璞注云："萑，芄。蔓生，断之有白汁，可啖。"《诗》云："芄兰之枝。"汉·郑玄笺云："芄兰柔弱，恒蔓延于地，有所依缘则起。"唐·孔颖达引陆玑诗疏云："芄兰，一名萝藦。"《唐本草》卷9页243"萝藦子"条引陆玑云："萝藦，一名芄兰。"《证类本草》卷12页293"枸杞"条，引陶弘景注云："萝藦，一名苦芄，叶厚大，作藤生，摘之有白乳汁，人家多种之，可生啖，亦蒸煮食也。"

根据《说文》《尔雅》郭璞注、陆玑疏、陶弘景注，芄即芄兰，又名萝藦。所以，"芄"应是萝藦科植物的萝藦。

（9）茋。（"丹参"条云："茎华小方如茋。""茋"是《别录》药。）

（10）芥。（"白沙参"条云："实白如芥。""芥"是《别录》药。）

（11）芜菁。（"白沙参"条云："根大白如芜菁。""芜菁"是《别录》药。）

（12）麻。（"云实"条云："叶如麻。"）

（13）兰。（"泽兰"条云："叶如兰。"《本经》有"兰"。）

（14）蓬。（"牡丹"条云："叶如蓬。"）

（15）竹。（"狗脊"条云："茎叶如竹。"《本经》有"竹"。）

（16）桃。（"鬼箭""满阴实"条云："叶实如桃。"《本经》有"桃"。）

（17）麦。（"紫葳"条云："如麦。"按，"麦"即"麦"。）

（18）蓝。（"牛膝""因尘"条云："叶如蓝。"《本经》有"蓝"。）

（19）韭。（"麦门冬"条云："叶如韭。"《别录》有"韭"。）

（20）葵。（"细辛"条云："叶如葵。"《本经》有"葵"。）

（21）酒。（"翘根"条云："饮酒病人。"《别录》有"酒"。）

（22）驴。（"庵闾"条云："驴马食仙去。"《别录》有"驴"。）

（23）马。（"庵闾"条云："驴马食仙去。"《本经》有"马"。）

（24）琥珀。（"丹鸡卵"条云："可作琥珀。"《别录》有"琥珀"。）

（25）玉。（"长石"条云："如玉色。"《别录》有"玉"。）

（26）云母。（"凝水石"条云："如云母。"《本经》有"云母"。）

（27）水银。（"丹砂"条云："能化朱成水银。"《本经》有"水银"。）

（28）银。（"流黄"条云："能化金银铜铁。"《别录》有"银"。）

（29）金。（"流黄"条云："能化金银铜铁。"《别录》有"金"。）

（30）铁。（"流黄"条云："能化金银铜铁。"《本经》有"铁"。）

（31）松根。（"茯苓"条云："或生益州大松根下。"《别录》有"松根"。）

二十、《吴普本草》引《李当之药录》的考察

《吴普本草》原书已佚，其部分残缺文字，见录于《御览》中，在此等残缺条文中，引李当之资料有50余条。兹将此50余条择录如下。并用1957年人卫版《纲目》《证类》校之。

石胆，季氏：大寒。（《御览》卷981页4；《证类》卷3页89；《纲目》卷10页670。"季氏"，《纲目》作"李当之"。）

紫石英，季氏：大寒。（《御览》卷987页4；《证类》卷3页93；《纲目》卷8页622。"季氏"，《纲目》作"李当之"。）

青符，季氏：小寒。（《御览》卷987页5；《证类》卷3页94。）

赤符，季氏：小寒。（同上。）

黄符，季氏：小寒。（同上。）

白符，季氏：小寒。（同上。）

太一禹餘粮，季氏：小寒。(《御览》卷988页2；《证类》卷3页91；《纲目》卷10页666。"季氏"，《纲目》作"李当之"。)

钟乳，季氏：大寒。(《御览》卷987页6。)

凝水石，季氏：大寒。(《御览》卷987页5；《证类》卷4页112；《纲目》卷11页690。"季氏"，《纲目》作"李当之"。)

阳起石，季氏：小寒。(《御览》卷987页5；《证类》卷4页112；《纲目》卷10页661。"季氏"，《纲目》作"李当之"。)

矾石，季氏：大寒。主温热。生汉中，或生魏兴，或生少室，十二月采。(《御览》卷987；《证类》卷5页124。此条，《证类》作"季氏云：或生魏兴，或生少室，十二月采"。)

戎盐，李氏曰：大寒。(《北堂书钞》卷146页2。)

麦门冬，季氏：甘，小温。(《御览》卷989页2；《证类》卷6页156；《纲目》卷16页899。"季氏"，《纲目》作"李当之"。)

石斛，季氏：寒。(《御览》卷992页5；《纲目》卷20页1016。"季氏"，《纲目》作"李当之"。)

石龙芮，季氏：大寒。(《御览》卷992页9。)

龙刍，季氏：小寒。(《御览》卷989页8。)

络石，季氏：大寒。云药中君。(《御览》卷993页4；《纲目》卷18页1050。此条，《纲目》作"李当之曰：大寒，药中君也"。)

牛膝，季氏：温。(《御览》卷992页6；《纲目》卷16页896。"季氏"，《纲目》作"李当之"。)

细辛，季氏：小寒。如葵叶，赤黑，一根一叶相连。(《御览》卷989页7；《证类》卷6页164；《纲目》卷13页186。"季氏"，《纲目》作"当之曰"。)

奄闾，季氏：温。(《御览》卷991页6；《纲目》卷15页847。"季氏"，《纲目》作"李当之"。)

薪蓂，季氏：小温。四月采，干二十日，生道旁。(《御览》卷980页4；《纲目》卷27页1209。"季氏"，《纲目》作"李当之"。)

肉苁蓉，季氏：小温。(《御览》卷989页8；《证类》卷7页119；《纲目》卷12页137。"季氏"，《纲目》作"李当之"。)

翘根，李当之：苦。(《纲目》卷16页925。)

当归，季氏：小温。(《御览》卷989页6；《证类》卷8页199；《纲目》卷14

页 794。"季氏"，《纲目》作"李当之"。)

防风，季氏：小寒。(《御览》卷 992 页 4；《纲目》卷 13 页 771。"季氏"，《纲目》作"李当之"。)

黄芩，季氏：小温。(《御览》卷 992 页 2；《纲目》卷 13 页 766。"季氏"，《纲目》作"李当之"。)

黄连，季氏：小寒。(《御览》卷 991 页 5；《纲目》卷 13 页 761。"季氏"，《纲目》作"李当之"。)

芍药，季氏：小寒。(《御览》卷 990 页 7；《证类》卷 8 页 201；《纲目》卷 14 页 803。"季氏"，《纲目》作"李当之"。)

桔梗，季氏：大寒。(《御览》卷 993 页 2；《纲目》卷 12 页 730。"季氏"，《纲目》作"李当之"。)

芎劳，季氏：生温中，熟寒。(《御览》卷 990 页 6；《证类》卷 7 页 114；《纲目》卷 14 页 796。"季氏"，《纲目》作"李当之"；"温中"，《证类》作"温"。)

麻黄，季氏：平。(《御览》卷 993 页 4；《纲目》卷 15 页 886。"季氏"，《纲目》作"李当之"。)

丹参，季氏：大寒。(《御览》卷 991 页 2；《纲目》卷 12 页 754。"季氏"，《纲目》作"李当之"。)

厚朴，季氏：小温。(《御览》卷 989 页 4；《纲目》卷 35 页 1386。"季氏"，《纲目》作"李当之"。)

玄参，季氏：寒。(《御览》卷 991 页 3。)

白沙参，季氏：大寒。(《御览》卷 991 页 3；《纲目》卷 12 页 128。"季氏"，《纲目》作"李当之"。)

枳实，季氏：大寒。(《御览》卷 992 页 4；《纲目》卷 36 页 1436。"季氏"，《纲目》作"李当之"。)

狗脊，季氏：温。(《御览》卷 990 页 7；《证类》卷 8 页 207；《纲目》卷 12 页 746。"季氏"，《纲目》作"李当之"；"温"，《证类》作"小温"。)

芩皮，季氏：小寒。(《御览》卷 992 页 3；《纲目》卷 35 页 1402。"季氏"，《纲目》作"李当之"。)

淫羊藿，季氏：小寒。(《御览》卷 993 页 3；《纲目》卷 12 页 750。"季氏"，《纲目》作"李当之"。)

大黄，季氏：小寒。为中将军。(《御览》卷 992 页 4；《纲目》卷 19 页 941。

"季氏"，《纲目》作"李当之"。）

巴豆，季氏：生温熟寒。（《御览》卷993页2；《纲目》卷35页1123。此条，《纲目》作"李当之热"。）

芫花，季氏：大寒。（《御览》卷992页1；《纲目》卷17页991。"季氏"，《纲目》作"李当之"。）

附子，季氏：苦，有毒，大温。（《御览》卷990页2；《纲目》卷11页964。此条，《纲目》作"李当之苦，大温，有大毒"。）

侧子，季氏：大寒。（《御览》卷990页3。）

乌喙，季氏：小寒。（《御览》卷990页2；《证类》卷10页243。）

牡丹，季氏：小寒。（《御览》卷992页6。）

木防己，季氏：大寒。如葛，茎蔓延如芄，白根，外黄，似桔梗，内黑，文如车辐解。（《御览》卷991页6；《纲目》卷18页1042。"季氏"，《纲目》作"李当之"。）

泽兰，季氏：温。（《御览》卷990页7；《证类》卷9页222；《纲目》卷14页832。此条，《纲目》作"李当之：小温"。）

牡蒙（紫参），季氏：小寒。（《御览》卷990页8；《证类》卷8页211；《纲目》卷12页755。"季氏"，《纲目》作"李当之"。）

雷丸，季氏：大寒。（《御览》卷990页3；《证类》卷14页347；《纲目》卷37页1473。"季氏"，《纲目》作"李当之"。）

藜芦，季氏：大毒，大寒。（《御览》卷990页3；《证类》卷10页251；《纲目》卷17页961。此条，《纲目》作"李当之：大寒，大毒"。）

闾茹，季氏：大寒。（《御览》卷991页7；《纲目》卷11页948。"季氏"，《纲目》作"李当之"。）

白及，季氏：大寒。（《御览》卷990页8；《证类》卷10页255；《纲目》卷12页753。"季氏"，《纲目》作"李当之"。）

恒山，季氏：大寒。（《御览》卷992页3；《纲目》卷17页958。"季氏"，《纲目》作"李当之"。）

龙齿，季氏：大寒。（《御览》卷988页7；《纲目》卷43页1575。"季氏"，《纲目》作"李当之"。）

以上各条，见录于《御览》所引《吴氏本草》药物文字。在《吴普本草》中所引的"季氏"，《纲目》作"李当之"，或作"当之曰"。在孙星衍辑《神农本草经》中，凡是《御览》引的"吴普"文，其中"季氏"全作"李氏"。据李时珍、孙星衍的看法，《御览》中的"季氏"即"李当之"。

又《纲目》卷1序例"历代诸家本草"标题下，有《李氏药录》一书。时珍曰："其书散见吴氏、陶氏本草中，颇有发明。"此文中"吴氏"本草，是指《吴普本草》而言。

又《纲目》"历代诸家本草"标题下，有《吴氏本草》。时珍曰："其书分记神农、黄帝、岐伯、雷公、桐君、李氏所说性味甚详。"此文中的"李氏"，很显然，是指上文中的《李氏药录》。

把《纲目》"历代诸家本草"所列《李氏药录》《吴氏本草》结合起来看，《纲目》所云《李氏药录》，即《李当之药录》。而《纲目》在各个药物条文中，把"李氏"称之为"李当之"，或称之为"当之曰"。那么各个药物条文中的"季氏"，按李时珍的说法，即是《李氏药录》，或称之为《李当之药录》。

二十一、《本草纲目》引吴普文出处讨论

《本草纲目》援引吴普资料，在《御览》中均可查出，唯下列一些资料，尚未查出。不知李时珍据何书援引。

（1）续断，神农、雷公、黄帝、李当之：苦，无毒。扁鹊：辛，无毒。出梁州，七月七日采。[1957年人卫影印《纲目》（下同此）卷15页867"续断"气味及集解下引。]

"续断"条，《纲目》所引吴普文，是从同卷"石龙刍"条气味下错简于此。石龙刍名草续断，《御览》卷989"石龙刍"条引吴普文与《纲目》引文全同。

（2）猪肚，消积聚癥瘕，治恶疮。（《纲目》卷50页1715"猪肚"主治下引。）

（3）丹雄鸡，一名载丹。扁鹊：辛。（《纲目》卷48页1667"鸡"条引。）

（4）卤咸，一名卤盐，一名寒石。（《纲目》卷11页690"卤咸"条释名下引。）

（5）石流赤，生羌道山谷。（《纲目》卷11页706"石流赤"集解下引。）

（6）山樱桃，一各麦樱。（《纲目》卷30页1290"山樱桃"释名下引。）

（7）蛴螬，一名应条。（《纲目》卷41页1540"蛴螬"释名下引。）

（8）乌贼鱼骨，冷。（《纲目》卷44页1615"乌贼鱼"气味下引。）

（9）萱草，一名妓女。

《纲目》卷16页901"萱草"条释名，有"妓女"名，下注出处为"吴普"。按，《御览》卷996引"本草经曰"，"萱草，一名忘忧，一名宜男，一名妓女"。妓女之名始出于《御览》引"本草经曰"。此《本草经》属于何书？不好标注，如注《本经》，则与《证类本草》白字《本经》混淆。所以《纲目》将《御览》引"本草经曰"资料注为吴普。

（10）败酱，其根似桔梗。

《纲目》卷16页910"败酱"条，集解中有"吴普言其根似桔梗"。此文原出《御览》引"本草经曰"之文。

《御览》卷992引"本草经曰"，"败酱，根似桔梗，其臭如败豆酱"。而《纲目》注出吴普。

（11）地朕，一名夜光，一名承光。

地朕原是《别录》药，《纲目》并在卷20页1082"地锦"条下。

《纲目》"地锦"条校正云："并入有名未用别录地朕。"

《证类本草》卷30页543云："地朕，味苦、平，无毒。主心气，女子阴疝，血结。一名承夜，一名夜光。三月采。"

《纲目》将此条文拆散分列在"地锦"条各项。在释名下引《别录》曰："地朕，三月采之。"在气味下引《别录》曰："地朕，苦，平，无毒。"在主治下引《别录》曰："地朕，主心气，女子阴疝血结。"

唯独将地朕、承夜、夜光3个名称列在释名下注出处为"吴普"。这个"吴普"，疑是"别录"之误。

（12）水堇，一名石龙芮。

《纲目》卷17页995"石龙芮"条云："《唐本草》菜部水堇系重出，今依《吴普本草》合并为一。"

（13）纶布，一名昆布。味酸、咸，寒，无毒。消瘰疬。

《纲目》卷19页1073"昆布"条释名下时珍曰："按《吴普本草》纶布，一名昆布。则《尔雅》所谓纶似纶，东海有之者，即昆布也。纶音关，青丝绶也。讹而为昆耳。"又气味下引普曰："酸、咸，寒，无毒。"又《本草汇言》"昆布"条引普曰："消瘰疬。"

（14）芪草，普曰：生太山山谷，权曰：神农、雷公：苦。

《纲目》卷16"荩草"，时珍曰："古者贡草入染人，故谓之王刍。"所以《纲目》"荩草"和《御览》"王刍"同是一物。《纲目》在"荩草"条引"权曰：神农、雷公苦"。刘衡如校点《纲目》时，将"权曰"改为"普曰"。因《证类》"荩草"条引《药性论》无此文，《御览》"王刍"条引吴普文有。刘氏所改很正确。《药性论》仅言性味、有毒无毒、恶畏宜忌，不言神农、雷公性味，只有《吴普本草》才引诸家药性，是《纲目》所注"权曰"实为"普曰"之误。

二十二、《本草纲目》引"吴普曰"文目次

关于本书参考文献，书中各条括弧内均记主要索引，其中《御览》《证类本草》所注索引能概括原文内容，但《本草纲目》所注索引，不能概括原文内容，因《纲目》引文比较分散，同一条目分在数处援引，括号内注的索引是极少一部分，绝大部分资料皆分列在其他处，为此将《纲目》著录"吴普曰"文目次，补列如下，各条号码为1957年人卫影印张绍棠刻本《本草纲目》页次。

615　玉泉，普曰，玉泉一名玉屑（释名）；神农、岐伯、雷公：甘。李当之平，畏款冬花、青竹（气味）。

621　白玉英，普曰，神农甘，岐伯、黄帝、雷公、扁鹊：无毒。

622　紫石英，普曰，生太山或会稽，欲令如削，紫色达头如樗蒲者。神农、扁鹊味甘平，李当之大寒，雷公大温，岐伯甘无毒。

626　丹砂①气味

635　雄黄①释名

646　五色石脂①集解

647　青石脂①气味

647　黄石脂①气味

647　黑石脂①气味

647　白石脂①气味

647　赤石脂①气味

650　石钟乳①释名②集解③气味

653　孔公孽①集解

661　阳起石①集解②气味

666　太一餘粮①释名②集解③气味

《证类本草》引"吴普文"目次，药名前号码为 1957 年人卫影印《重修政和经史证类备用本草》页次。

下篇　焦循辑《吴氏本草经》校注

吴氏[1] 本草经序

清·焦循[2] 撰　　尚志钧　注释

　　吴氏者，华佗[3]弟子，名普，广陵[4]人也。《三国志》[5]言其习五禽之戏，年至九十余。《隋书·经籍志》[6]列其所著《华佗方》十卷，《本草》六卷，《唐书·艺文志》[7]谓之《吴氏本草因》。宋嘉祐、大观之间[8]修辑本草，广内已无此书，其亡于唐末五代之时[9]耶？《本草》之名，《汉志》[10]不著，《郊祀志》[11]言成帝初有本草待诏，《平帝纪》[12]言元始五年[13]举天下通知方术本草者。《楼护[14]传》言护习医经、本草方术数十万言。是本草实汉前之书，与《素问》[15]《八十一难》[16]并重。《帝王世纪》[17]言黄帝使岐伯，尝味草木，定本草经。《隋志》有《神农本草》八卷。《雷公集注神农本草》四卷，吴氏此书备载神农、黄帝、岐伯、扁鹊、医和、雷公、桐君、李氏诸家温凉甘苦各为异同。盖古之本草非一家之书，吴氏类集之，以资参用也。黄帝、岐伯、医和、扁鹊之说，唯是书见其梗概，断圭碎璧，良足宝矣。乾隆壬子[18]（1792）夏，阅《御览》[19]录其所引《吴氏本草经》若干条，益以他书所引，凡得一百七十种，较本书之四百四十一种，仅存三分之一。然可以广见闻、识古学矣。唐王勃[20]撰《八十一难序》云：岐伯以授黄帝，黄帝历九师以授伊尹。伊尹以授汤，汤历六师以授太公。太公以授文王，文王历九师以授医和。医和历六师以授秦越人。秦越人历九师以授华佗。华佗历六师以授黄公。吴氏为华佗高弟，盖在六师之中。其师承于岐黄[21]者，固有真也。东汉之医，唯张仲景[22]诸书盛传。华氏之学，无有述者。世所传《中藏经》[23]则伪托，非佗之真本。欲窥其学，舍是而谁耶？所引李氏，未详何人。唐孔志约本草序[24]云：岐、和、彭、缓[25]，腾绝轨[26]于前；李、华、张、吴[27]，振英声[28]于后。《隋志》有李当之[29]《药录》附见《桐君药录》下。陶贞白《本草序》[30]亦以吴普、李当之并称，或即此欤！岁在昭阳赤奋若[31]，焦循记。

【注释】

[1] **吴氏** 即吴普，汉魏间医家，广陵（今江苏扬州）人。华佗弟子，疗病依准其师，多所全济。华佗尝语普曰："人体欲得劳动，但不当使其极耳。动摇则谷气得消，血脉流通，病不得生，譬如户枢，终不朽。"乃传以五禽之戏。普行之，年九十余，犹耳目聪明，齿牙完固。撰有《吴普本草》6卷，《华佗方》10卷，俱佚。

[2] **焦循** （1763—1820）清学者，字里堂，晚号里堂老人。甘泉（今江苏江都）人。嘉庆六年（1801）举人。博学多才，长于算学、《易经》，亦通医理。尝南游吴（江苏）、越（浙江），北及燕（河北）、齐（山东），常与人论医。辑有《吴氏本草经》1卷（1792），多取材于《御览》，今存其手校稿本。与当时名医李炳交厚，李常为焦氏家族治病，焦循遂将其医案，撰成《李翁医记》2卷，每一病案详其原委，务使阅者能明其理。另著有《雕菰楼文集》。其子焦廷琥曾为李炳《辨疫琐言》抄录传世。

[3] **华佗** ？—约203。中国外科鼻祖。字元化，又名旉，沛国谯（今安徽亳州）人。沛相陈圭荐举孝廉不就。行医于徐州、山东一带。曹操苦头风眩晕，闻佗医技精，召其常在左右，佗针操疾，随手而愈。佗离家思归，托妻疾归乡，至期不返，累召不应，为曹操所杀。

[4] **广陵** 今江苏扬州。

[5] **《三国志》** 史书。西晋·陈寿（233—297）撰。记魏文帝黄初元年（220）至晋武帝太康元年（280）61年间魏、蜀、吴三国史事。计有《魏书》30卷，《蜀书》15卷，《吴书》20卷，《吴书》后附有《叙录》1卷。

[6] **《隋书·经籍志》** 史志书目。唐·魏征等撰。为现存最古第二部史志书目。著录存书3127部，36708卷；佚书1064部，12759卷。以隋义宁二年（618）为断限。

[7] **《唐书·艺文志》** 史志书目。宋·欧阳修撰。他根据所见《开元书目》已著录者53915卷，另唐人撰述的28469卷，再加以补充，共录3277部，52094卷。另唐人所撰，而《旧志》未收者27127卷，亦予以收录。

[8] **宋嘉祐、大观之间** 嘉祐为北宋仁宗第九个年号（1056—1063），大观为北宋徽宗第三个年号（1107—1110），两个年号间的时间为公元1056—1110年。

[9] **唐末五代之时** 唐代处于公元618—907年，所谓唐末，即指靠近907年。五代处于公元907—960年。

[10] **《汉志》** 《汉书·艺文志》简称，汉·班固撰。为现存最古第一部史志书目，开创了利

用官修书目编正史艺文志的先河。

[11]《郊祀志》 《汉书》中的一篇，记祭祀史事。

[12]《平帝纪》 《汉书》中的一篇，记汉平帝史事。

[13] 元始五年 "元始"为汉平帝第一个年号。元始五年相当公元5年。

[14] 楼护 ？—约公元10，汉医家，字君卿。少随父行医长安。习诵医经、本草、方术等书。后改习经学，荐为广汉太守，元始（公元1—5？）年间，封为息乡侯。

[15]《素问》 医书。全称《黄帝内经素问》，通称《黄帝内经》，简称《素问》。传为黄帝所作，实出于春秋、战国人之手。论述自然界事物运动变化的规律，及人体生理、病理、病机、病症、诊断、药物性味、配伍制方和疗法；亦涉及环境、地质、气象等学科。是中医学各科的基础，自古以来，为医家必读之书。

[16]《八十一难》 医书。全称《黄帝八十一难》，通称《八十一难》，简称《难经》。旧题周·秦越人（扁鹊）所作。以设难答疑体例，发挥《黄帝内经》之旨。以基础理论为主，兼析病证，论及有关脉、经络、脏腑、针法等81个问题，故名《八十一难》。是我国最早解释古医书理论的专著。

[17]《帝王世纪》 史书。西晋皇甫谧撰。10卷。起自三皇，止于曹魏，专记帝王事迹，所述先秦史事，博采经传杂书，可补《史记》之缺。原书佚，今有清王仁俊辑本1卷。

[18] 乾隆壬子 即清乾隆五十七年，相当于公元1792年，此时焦循年29岁。

[19]《御览》 类书。宋·李昉等14人于太平兴国二年（977）奉命敕编。初名《太平总类》，太宗每天阅3卷，改名《御览》。共1000卷，分55门，每门分若干部，部下又细分若干类，共4558类。引书1690余种，杂书和诗赋还未列入。可供辑佚及订讹、学术研究参考。

[20] 王勃 公元648—675年，唐绛州（今山西新绛）人，字子安。六岁善文辞。曾任沛王府修撰。为沛王作檄难文，被唐高宗所闻，削职。上元二年（675）勃赴交趾省父，渡海溺死，年仅28岁。

[21] 岐黄 岐是岐伯，黄指黄帝。传说黄帝咨于岐伯而作《内经》。后世尊"岐黄"为中医学代称。

[22] 张仲景 东汉末杰出医家，名机。南阳郡（今河南南阳）人。撰有《伤寒杂（卒）病论》16卷。此书熔医经、医方于一炉。原书曾佚，赖王叔和搜集整理，得以流传。其中"伤寒"经王编次为《伤寒论》10卷，另有《金匮玉函方》3卷。后者经宋人整理成《金匮要略》行世。

[23]《中藏经》 医书。是后世托名华佗之作。或亦保存华佗部分医学思想。

[24] 唐孔志约本草序 即唐高宗时，礼部郎中孔志约为唐代政府编的《新修本草》作的序。《新修本草》不仅是中国最早的药典，同时也是世界最早的药典。原书久残。国内有尚志钧辑校本行世。

[25] 岐、和、彭、缓 指古代四位医家。岐，指岐伯。传说为黄帝臣，黄帝使其尝味草木，典主医病，经方、本草、素问之书咸出。和，指医和。春秋秦医家。据《左传》记载：晋侯有疾，求医

于秦，秦伯使医和至晋，诊而后曰：是谓近女色，乃惑蛊之疾，不可为也。彭，指巫彭。商代巫医。约公元前16世纪人。《说文》记载："巫彭初作医"。《吕览·勿躬》："巫彭作医"。缓，指医缓。春秋秦医家。《左传·成公十年》（公元前597年）记载，晋侯有疾，求医于秦，秦伯使医缓至晋，缓诊后，谓其病在肓之上，膏之下，药不能及，不可为也。

[26] **绝轨** 犹绝迹。义为优异卓绝的功绩。

[27] **李、华、张、吴** 指汉魏四位名医。李，疑指东汉蜀医李助。通经方本草，与郭玉齐名。华，指外科鼻祖华佗。张，指东汉医圣张仲景。吴指华佗弟子吴普。

[28] **英声** 犹英名。何晏《景福殿赋》："故当时享其功利，后世赖其英声。"

[29] **李当之** 汉魏间医家，华佗弟子，尤精本草。《隋书·经籍志》载有《李当之本草经》1卷，已佚。

[30] **陶贞白《本草序》** 陶贞白即陶弘景，南北朝梁医家兼道家，著有《本草经集注》。所云"陶贞白《本草序》"，即是陶弘景《本草经集注》7卷本第1卷的序录。

[31] **昭阳赤奋若** 昭阳，岁时名。北周庾信《庾子山集·赋》："岁次昭阳。"《淮南子·天文训》："子在癸曰昭阳。"即太岁在癸的岁名，义为癸年。赤奋若，太岁在丑的岁名。《尔雅·释天》："在丑曰赤奋若"。义为丑年。昭阳赤奋若合称为癸丑年。此处指清乾隆五十八年，相当于公元1793年。

吴氏本草经[1]

清·焦循 辑 尚志钧 校注

魏[2]广陵[3]人，吴普撰。普，华佗弟子，修《神农本草》成四百四十一种，《唐·经籍志》尚存六卷，今广内不复有，唯诸子书多见引据。其说药性寒温、五味，最为详悉[4]。

【校注】

[1] **吴氏本草经** 即《吴普本草》。《御览》卷987"石硫黄"条引作"吴氏本草经"。

[2] **魏** 指三国时魏、蜀、吴的魏，自曹操儿子曹丕称文帝，改年号为黄初（220）到曹奂元帝咸熙二年（265）亡于西晋司马炎。

[3] **广陵** 今江苏扬州。

[4] **魏广陵人……最为详悉** 见《证类本草》载掌禹锡"补注所引书传"《吴氏本草经》条下所注的全文。

1 丹砂[1]

神农：甘。黄帝、岐伯：苦，有毒。扁鹊：苦。李氏[2]：大寒。或生武陵[3]，采无时。能化朱[4]成水银。畏磁石，恶咸水。

【校注】

[1] **丹砂** 见《御览》卷985页4。

[2] **李氏** 《御览》作"季氏"。

[3] **武陵** 今湖南沅陵。

[4] **朱** 即朱砂。

2 玉泉[1]

一名玉屑。神农、岐伯、雷公：甘。李氏：平。畏冬华[2]。恶青竹。

【校注】

[1] **玉泉** 见《御览》卷988页6。

[2] **冬华** 即款冬花。

3 石钟乳[1]

李氏[2]：大寒。或生太山山谷阴处岸下，聚溜汁所成，如乳汁，黄白色，空中相通。二月、三月采阴干。

【校注】

[1] **石钟乳** 见《御览》卷987页6。但《御览》作"钟乳"，《证类》《纲目》引作"石钟乳"，其下《证类》《纲目》有"一名虚中"。

[2] **李氏** 《御览》作"季氏"。

4 矾石[1]

一名羽砠［按：砠，神农作硖[2]］。一名羽泽。神农、岐伯：酸。扁鹊：咸。雷公：酸，无毒。生河西[3]，或陇西[4]，或武都[5]石门。采无时。岐伯：久服伤人骨。

【校注】

[1] **矾石** 见《御览》卷988页4。

[2] **按：砠，神农作硖** 以上6字为焦循注文，非吴普文。句中"神农"，指《神农本草经》。

[3] **河西** 今陕西。

[4] **陇西** 今甘肃陇西。

[5] **武都** 今甘肃武都。

5 硝石[1]

神农：苦。扁鹊：甘。

【校注】

[1] **硝石** 见《御览》卷988页2。

6 朴消石[1]

神农、岐伯、雷公：无毒。生益州[2]，或山阴，入土千岁不变，炼之不成不可服。

【校注】

[1] **朴消石** 见《御览》卷988页2。

[2] **益州** 今四川地区。

7 石胆[1]

一名黑石，一名铜勒。神农：酸，小寒。李氏[2]：大寒。桐君：辛，有毒。扁鹊：苦，无毒。生羌道[3]，或句青山。二月庚子、辛丑采。

【校注】

[1] **石胆** 见《御览》卷987页4。

[2] **李氏** 《御览》作"季氏"。

[3] **羌道** 今甘肃岷县。

8 空青[1]

神农：甘。一经：酸。久服有神仙玉女来时[2]，使人志高。

【校注】

[1] **空青** 见《御览》卷988页4。

[2] **时** 商务本《御览》作"侍"，其他本作"时"。

9　太一禹餘粮[1]

一名禹哀。神农、岐伯、雷公：甘，平。李氏[2]：小寒。扁鹊：甘，无毒。生太山[3]，上有甲，甲中有白，白中有黄，如鸡子黄色。九月采，或无时。

【校注】

[1]　**太一禹□粮**　见《御览》卷988页2。
[2]　**李氏**　《御览》作"季氏"。
[3]　**太山**　今山东泰安。

10　白石英[1]

神农：甘。岐伯、黄帝、雷公、扁鹊：无毒。生太山，形如紫石英，白泽，长者二三寸，采无时。久服通日月光。

【校注】

[1]　**白石英**　见《御览》卷987页2。

11　紫石英[1]

神农、扁鹊：甘。气平。李氏[2]：大寒。雷公：大温。岐伯：甘，无毒。生太山[3]，或会稽[4]，采无时。欲会[5]如削，紫色头如樗蒲者[6]。

【校注】

[1]　**紫石英**　见《御览》卷987页2。
[2]　**李氏**　《御览》作"季氏"。
[3]　**太山**　今山东泰安。
[4]　**会稽**　今浙江绍兴。
[5]　**欲会**　《御览》作"欲令"。
[6]　**紫色头如樗蒲者**　一本作"紫色达头，如樗蒲者。"

12　五石脂[1]

一名青、赤、黄、白、黑符。

青符，神农：甘。雷公：酸，无毒。桐君：辛，无毒。李氏[2]：小寒。生南山或海涯，采无时。

赤符，神农、雷公：甘。黄帝、扁鹊：无毒。李氏：小寒。或生少室[3]，或生太山[4]，色绛，滑如脂。

黄符，李氏：小寒。雷公：苦。或生嵩山，色如肫脑雁雏。采无时。

白符，一名随。岐伯、雷公：酸。桐君：甘，无毒。扁鹊：辛。或生少室天娄山，或太山。

黑符，一名石泥。桐君：甘，无毒。生洛西山空地。

【校注】

[1] **五石脂** 《证类》引吴普文作"五色石脂"。此条见《御览》卷987页5。

[2] **李氏** 《御览》作"季氏"。下同。

[3] **少室** 今河南登封。

[4] **太山** 今山东泰安。

13 白青[1]

神农：甘，平。雷公：咸，无毒。生豫章[2]，可消而为铜。

【校注】

[1] **白青** 见《御览》卷988页4。

[2] **豫章** 今江西南昌。

14 扁青[1]

神农、雷公：小寒，无毒。生蜀郡[2]。明目，治痈肿，风痹，丈夫内绝，令人有子。久服轻身。

【校注】

[1] **扁青** 见《御览》卷988页5。

[2] **蜀郡** 今四川成都地区。

15 雄黄[1]

神农：苦。山阴有丹，雄黄生山之阳，故曰雄，是丹之雄，所以名雄黄也。

【校注】

[1] **雄黄** 见《御览》卷988页2。

16 流黄[1]

一名石流黄。神农、黄帝、雷公：咸，有毒。医和、扁鹊[2]：无毒。或生易阳[3]，或生河西[4]，或五色黄，是潘水石溢[5]液也，烧令有紫炎者。八月、九月采。治妇人绝阴[6]，能化[7]金、银、铜、铁。

【校注】

[1] **流黄** 见《御览》卷987页3。

[2] **扁鹊** 其下，《证类》引吴普文有"苦"字。

[3] **易阳** 今河北邯郸。

[4] **河西** 今陕西地区。

[5] **溢** 《御览》无此字。

[6] **绝阴** 《证类》引吴普文作"血结"。

[7] **化** 《纲目》引吴普文作"合"。

17 磁石[1]

一名磁君。

【校注】

[1] **磁石** 见《御览》卷988页3。

18 凝水石[1]

一名水石[2]，一名寒水石。神农：辛。岐伯、医和：甘，无毒。扁鹊：甘，无毒。李氏[3]：大寒。或生邯郸[4]。采无时，如云母也。

【校注】

[1] **凝水石** 见《御览》卷987页5。

[2] **一名水石** 《御览》作"一名白水石"。

[3] **李氏** 《御览》作"季氏"。

[4] **邯郸** 今河北邯郸。

19　阳起石[1]

或作羊作。神农、扁鹊：酸，无毒。桐君、雷公、岐伯：无毒。李氏[2]：小寒，或生太山[3]，或阳起山[4]，采无时。

【校注】

[1] **阳起石**　见《御览》卷987页5。
[2] **李氏**　《御览》作"季氏"。
[3] **太山**　今山东泰安。
[4] **阳起山**　苏颂《本草图经》云：今齐州（济南）一土山，石出其中，彼人谓之阳起山。

20　孔公蘖[1]

神农：辛。岐伯：咸[2]。扁鹊：无毒。色清黄。

【校注】

[1] **孔公蘖**　见《御览》卷987页7。
[2] **咸**　《证类》引吴普文作"酸"。

21　长石[1]

一名方石，一名直石。生长子[2]山谷。如马齿[3]润泽，玉色。长服之不饥。

【校注】

[1] **长石**　见《御览》卷988页5。
[2] **长子**　今山西长子。
[3] **如马齿**　《御览》作"理如马齿"。

22　白礜石[1]

一名鼠乡，一名太白[2]，一名泽乳，一名食盐。神农、岐伯：辛，有毒。桐君：有毒。黄帝：甘，有毒。李氏[3]：大寒。主温热。生汉中[4]，或生魏兴[5]，或生少室[6]。十二月采。

右石药共二十二种[7]。

【校注】

[1] **白礜石** 见《御览》卷 987 页 7。

[2] **太白** 《证类》引吴普文作"太白石"。

[3] **李氏** 《御览》作"季氏"。

[4] **汉中** 今陕西汉中。

[5] **魏兴** 今陕西安康。

[6] **少室** 今河南登封。

[7] **右石药共二十二种** 以上 8 字为焦循注文，非《吴氏本草经》原文。

23　菖蒲[1]

一名尧时薤[2]。[掌禹锡[3]引此无"时"字]

【校注】

[1] **菖蒲** 见《御览》卷 999 页 6。

[2] **一名尧时薤** 其上《证类》引吴普文有"一名尧时韭"。

[3] **掌禹锡** 是《嘉祐本草》作者。此处指《嘉祐本草》。

24　菊华[1]

一名女华，一名女室。

【校注】

[1] **菊华** 见《御览》卷 996 页 2。又"华"下，《初学记》卷 27 引吴普文有"一名白花"。

25　人参[1]

一名土精，一名神草，一名黄参，一名血参，一名久微[2]，一名玉精。神农：甘，小寒。桐君、雷公：苦。岐伯、黄帝：甘，无毒。扁鹊：有毒。或生邯郸[3]。三月生，叶小兑，核黑[4]，茎有毛。三月、九月采根。根有头、足、手，面目如人。

【校注】

[1] **人参** 见《御览》卷 991 页 2。

[2] **久微** 孙星衍辑《本经》引吴普文作"人微"。

[3] **邯郸** 今河北邯郸。

[4] **核黑** 《纲目》引吴普文作"枝黑"。

26 术[1]

一名山芥，一名天苏[2]。[此条掌禹锡所引[3]]

【校注】

[1] **术** 见《艺文》卷81。

[2] **天苏** 《纲目》引吴普文作"天蓟"。

[3] **此条掌禹锡所引** 以上7字为焦循注文，非《吴氏本草经》文。文中掌禹锡是《嘉祐本草》作者。义指此条为《嘉祐本草》所引。

27 菟丝实[1]

一名玉女[2]，一名松萝，一名鸟萝，一名鸭萝[3]，一名复实，一名赤纲。生山谷。

【校注】

[1] **菟丝实** 见《御览》卷993页6。

[2] **玉女** 《纲目》注出《尔雅》文。

[3] **鸭萝** 孙星衍辑本同，《御览》作"鸹萝"。

28 牛膝[1]

神农：甘。一经：酸。黄帝、扁鹊：甘。李氏[2]：温。雷公：温，酸，无毒。生河内[3]，或临邛[4]。叶如夏蓝[5]，茎本赤。二月、八月采。

【校注】

[1] **牛膝** 《御览》卷992页6。

[2] **李氏** 孙星衍辑本同，《纲目》作"李当之"，《御览》作"季氏"。

[3] **河内** 今河南省北部。

[4] **临邛** 今四川邛崃。

[5] **夏蓝** 《纲目》引吴普文同，《御览》无"夏"字。

29　蔷薇[1]

一名牛勒，一名牛膝，一名蔷薇，一名出枣[2]。

【校注】

[1] **蔷薇**　见《御览》卷 998 页 4。

[2] **出枣**　孙星衍辑本引吴普文作"山枣"。

30　委萎[1]

一名葳蕤，一名王马，一名节地，一名虫蝉，一名乌萎，一名营，一名玉竹。神农：苦。一经：甘。桐君、雷公、扁鹊：甘，无毒。黄帝：辛。生太山[2]山谷。叶青黄，相值如姜。二月、七月采。治中风暴热，久服轻身[3]。

【校注】

[1] **委萎**　见《御览》卷 991 页 7。

[2] **太山**　今山东泰安。

[3] **久服轻身**　孙星衍辑《本经》引吴普文作"一名左眄，久服轻身耐老"。

31　房葵[1]

一名梁盖，一名爵离，一名房苑，一名晨草，一名利如，一名方盖。神农：辛，小寒。桐君、扁鹊：无毒。岐伯、雷公、黄帝：苦，无毒。茎叶如葵，上黑黄。二月生根，根大如桔梗，根中红白。六月花[2]，七月实白，三月三日采。

【校注】

[1] **房葵**　见《御览》卷 993 页 4。

[2] **六月花**　《御览》作"六月花白"。

32　茈葫[1]

一名山来[2]，一名如草。神农、岐伯、雷公：苦，无毒。生宛朐[3]。二月、八月采根。

【校注】

[1] **茈葫** 即柴胡。见《御览》卷993页5。

[2] **山来** 《证类》《纲目》引吴普文作"山菜"。

[3] **宛朐** 山东菏泽。

33 麦门冬[1]

一名羊韭，秦一名马韭，楚一名乌韭，越一名羊齐，一名爱韭，一名禹韭，一名爨韭[掌禹锡[2]引作"爨火冬"]，一名忍冬，一名忍陵，一名不死药，一名禹餘粮，一名仆垒，一名随暗[掌禹锡引作"脂"]。神农、岐伯：甘，平。黄帝、桐君、雷公：甘，无毒。李氏[3]：甘，小温。扁鹊：无毒。生山谷肥地。叶如韭，肥泽，从生，采无时，实青黄。

【校注】

[1] **麦门冬** 见《御览》卷989页2。

[2] **掌禹锡** 为《嘉祐本草》作者，此处指《嘉祐本草》，下同。

[3] **李氏** 《御览》作"季氏"。

34 独活[1]

一名胡王使者。神农、黄帝：苦，无毒。八月采。此药有风，花不动，无风，花[2]独摇。

【校注】

[1] **独活** 见《御览》卷992页7。

[2] **花** 《御览》无此字。

35 升麻[1]

神农：甘。

【校注】

[1] **升麻** 见《御览》卷990页6。又，"麻"下，《纲目》引吴普文有"一名周升麻"。

36 署豫[1]

一名诸署，秦、楚名王延，齐、越名山羊[2]，郑、赵名山羊[3]，一名玉延，一名修脆，一名儿草。神农：甘，小温。桐君、雷公：苦［掌禹锡引作"甘"］，无毒。或生临朐[4]踵山。始生赤茎细蔓。五月华白，七月实青黄，八月熟落，根中白，皮黄，类芋。二月、三月、八月采根。恶甘遂。

【校注】

[1] **晋灼**　见《御览》卷989页8。

[2] **齐、越名山羊**　孙星衍辑《本经》引吴普文作"齐、越名山芋"，《纲目》引吴普文作"齐、鲁名山芋"。

[3] **郑、赵名山羊**　孙星衍辑《本经》引吴普文作"郑、赵名山芋"。

[4] **临朐**　今山东临朐。

37　细辛[1]

一名小辛，一名细草。神农、黄帝、雷公、桐君：辛，小温。岐伯：无毒。李氏[2]：小寒。如葵叶，赤色[3]，一根一叶相连。三月、八月采根。

【校注】

[1] **细辛**　见《御览》卷989页7。

[2] **李氏**　《御览》作"季氏"。

[3] **如葵叶，赤色**　《证类》引吴普文作"如葵叶，赤黑"。孙星衍辑《本经》引吴普文作"如葵叶，色赤黑"。

38　石斛[1]

神农：甘，平。扁鹊：酸。李氏[2]：寒。

【校注】

[1] **石斛**　见《御览》卷992页5。

[2] **李氏**　《御览》作"季氏"，《纲目》引吴普文作"李当之"。

39　奄闾[1]

神农、雷公、桐君、岐伯：苦，小温，无毒。李氏[2]：温。或生上党，叶青厚，两相当[3]。七月花白，九月实黑，七月、九月、十月采。驴马食仙去。

【校注】

[1] **奄闾**　见《御览》卷991页6。

[2] **李氏**　《御览》作"季氏"，《纲目》引吴普文作"李当之"。

[3] **两相当**　孙星衍辑《本经》引吴普文同，《御览》作"两两相当"。

40　蓶葖[1]

一名折目，一名荣具[2]，一名马驹。雷公、神农、扁鹊：辛。李氏[3]：小温。四月采，干二十日。生道旁。得细辛良，恶干姜、苦参。

【校注】

[1] **蓶葖**　见《御览》卷980页4。

[2] **荣具**　《御览》及孙星衍辑《本经》引吴普文作"荣冥"，《纲目》引吴普文作"荣目"。

[3] **李氏**　《御览》作"季氏"。

41　荠实[1]

神农：有毒[2]。生野田[3]。五月五日采[4]，阴干。治腹胀。

【校注】

[1] **荠实**　见《御览》卷980页4。

[2] **有毒**　《御览》作"甘，无毒"，孙星衍辑《本经》引吴普文作"无毒"。

[3] **生野田**　《纲目》引吴普文作"荠生野中"。

[4] **五月五日采**　《纲目》引吴普文作"三月三日采"。

42　卷柏[1]

一名豹足，一名求股，一名万岁，一名神枝[2]时。神农：[掌禹锡[3]引有"辛"字] 平。桐君、雷公：甘。生山谷。

【校注】

[1] **卷柏**　见《御览》卷989页4。

[2] **枝**　孙星衍辑《本经》引吴普文同，《御览》作"投"。

[3] **掌禹锡**　为《嘉祐本草》作者，此处指《嘉祐本草》。按：《嘉祐本草》至清代已佚，其文存于《证类本草》，实际上即指《证类本草》。

43　芎劳[1]

一名香果。神农、黄帝、岐伯、雷公：辛，无毒，香［掌禹锡引无此字］。扁鹊：酸，无毒。李氏[2]：引生温中［掌禹锡所引无此字］热寒[3]。或生胡无桃山阴，或斜谷西岭[4]，或太山[5]。叶春［掌禹锡引作"香"字］细青黑，文赤如藁本，冬夏聚生。五月华赤，七月实黑，端两叶[6]。三月采根有节如马衔状。

【校注】

[1]　**芎劳**　见《御览》卷990页6。
[2]　**李氏**　《御览》作"季氏"。
[3]　**热寒**　《证类》引吴普文作"熟寒"。
[4]　**斜谷西岭**　今陕西武功。
[5]　**太山**　今山东泰安。
[6]　**端两叶**　《证类》引吴普文作"茎端两叶"。《纲目》引吴普文作"附端两叶"。

44　蘼芜[1]

一名芎[2]。

【校注】

[1]　**蘼芜**　见《御览》卷983页4。
[2]　**一名芎**　《别录》云："蘼芜，芎苗也"，又云："芎，其叶名蘼芜"。

45　黄连[1]

神农、岐伯、黄帝、雷公：苦，无毒。李氏[2]：小寒。或生蜀郡[3]、太山之阴。

【校注】

[1]　**黄连**　见《御览》卷991页5。
[2]　**李氏**　《御览》作"季氏"。
[3]　**蜀郡**　今四川成都地区。

46　络石[1]

一名鳞石，一名明石，一名县石，一名云华，一名云珠，一名云英，一名云丹。神农：苦，小温。雷公：苦，无毒。扁鹊、桐君：甘，无毒。李氏[2]：大寒。
云：药中君。采无时。

【校注】

[1] **络石** 见《御览》卷993页4。

[2] **李氏** 《御览》作"季氏"。

47　肉苁蓉[1]

一名肉松蓉。神农、黄帝：咸。雷公：酸。李氏[2]：小温。生河东[3][掌禹锡[4]引作"河西"[5]]山阴地。长三四寸，从生。或代郡雁门[6]。二月、八月采，阴干用之。

【校注】

[1] **肉苁蓉** 见《御览》卷989页8。

[2] **李氏** 《御览》作"季氏"。

[3] **河东** 今山西地区。

[4] **掌禹锡** 此处实指《证类本草》。

[5] **河西** 孙星衍辑《本经》引吴普文亦作"生河西"。

[6] **代郡雁门** 今山西代县。

48　防风[1]

一名廻云，一名廻草，一名百枝，一名简根，一名百韭，一名百韭种。神农、黄帝、岐伯、桐君、雷公、扁鹊：甘，无毒。李氏[2]：小寒。或生邯郸[3]上蔡[4]。正月生，叶细圆，青黑，黄白。五月黄花，六月实黑。二月、十月采根，日干。琅玡[5]者良。

【校注】

[1] **防风** 见《御览》卷992页4。

[2] **李氏** 《御览》作"季氏"。

[3] **邯郸** 今河北邯郸。

[4] **上蔡** 今河南上蔡。

[5] **琅玡** 今山东诸城海边小岛。

49　蒲阴实^[1]

生平谷，或圃中。延蔓如瓜，叶实如桃。七月采。止温^[2]，延年。

【校注】

[1]　**蒲阴实**　见《御览》卷993页8。孙星衍辑《本经》引吴普文作"满阴实"。

[2]　**止温**　《证类》引《别录》作"止渴"。另本作"止湿"。

50　醮^[1]

一名醮石，一名香蒲。神农、雷公：甘。生南海^[2]池泽中。

【校注】

[1]　**醮**　见《御览》卷993页3。

[2]　**南海**　今广东沿海。

51　决明子^[1]

一名草决明，一名羊明。

【校注】

[1]　**决明子**　见《御览》卷991页6。

52　丹参^[1]

一名赤参，一名羊乳^[2]，一名郄蝉草。神农、桐君、黄帝、雷公、扁鹊：苦，无毒。李氏^[3]：大寒。岐伯：咸。生桐柏，或生太山^[4]山陵阴。茎华小方^[5]如荏毛^[6]，根赤，四月华紫，三月、五月采根，阴干。治心腹痛。

【校注】

[1]　**丹参**　见《御览》卷991页2。

[2]　**羊乳**　《御览》作"木羊乳"。

[3]　**李氏**　《御览》作"季氏"。

[4]　**太山**　今山东泰安。

[5] **小方** 《纲目》引吴普文作"小房"。

[6] **如荏毛** 《纲目》引吴普文作"如荏有毛"。

53 五味[1]

一名元皮[2]。

【校注】

[1] **五味** 见《御览》卷990页3。

[2] **元皮** 《御览》作"玄及",清代刻书避康熙皇帝玄烨讳,改为"元及"。焦本作"元皮"疑有笔误。

54 蛇床[1]

一名蛇珠。

【校注】

[1] **蛇床** 见《御览》卷992页9。《证类》引《本经》作"蛇床子"。

55 白沙参[1]

一名苦心,一名识美,一名虎须,一名白参,一名志取,一名文虎[2]。神农、黄帝、扁鹊:无毒。岐伯:咸。李氏[3]:大寒。生河内[4]川谷,或般阳渎山。三月生,如葵,叶青,实白如芥。根大,白如芜菁。三月采。

【校注】

[1] **白沙参** 见《御览》卷991页3。

[2] **一名文虎** 另本作"一名文希"。

[3] **李氏** 《御览》作"季氏"。

[4] **河内** 今河南北部地区。

56 徐长卿[1]

一名石下长卿。神农、雷公:辛。或生陇西[2]。三月采。

【校注】

[1] **徐长卿** 见《御览》卷991页6。

[2] **陇西** 今甘肃陇西。

57 龙刍[1]

一名龙多，一名龙鬓[2]，一名续断，一名龙本[3]，一名草毒，一名龙华，一名悬莞[4]。神农、李氏：小寒。雷公、黄帝：苦，无毒。扁鹊：辛，无毒。生梁州[5]。七月七日采。

【校注】

[1] **龙刍** 见《御览》卷989页8。

[2] **龙鬓** 孙星衍辑《本经》引吴普文作"龙须"。

[3] **龙本** 孙星衍辑《本经》引吴普文同，《御览》作"龙木"。

[4] **悬莞** 孙星衍辑《本经》引吴普文同，《御览》作"悬莞"。

[5] **梁州** 今陕西南部和四川北部一带。

58 薇蒿[1]

一名蘼蒿，一名无头[2]，一名承膏，一名丑，一名无心鬼。

【校注】

[1] **薇蒿** 见《御览》卷991页8。

[2] **无头** 《御览》作"无愿"，孙星衍辑《本经》引吴普文作"无颠"。

59 云实[1]

一名员实，一名天豆。神农：辛，小温。黄帝：咸。雷公：苦。叶如麻，两两相值，高四五尺，大茎空中[2]。六月花，八月、九月实，十月采。

【校注】

[1] **云实** 见《御览》卷992页9。

[2] **叶如麻……大茎空中** 《纲目》引吴普文作"茎高四五尺，大叶中空，叶如麻，两两相值"。

60　王不留行[1]

一名王不流行[2]。神农：苦，平。岐伯：甘。雷公：甘。三月、八月采。

【校注】

[1] **王不留行**　见《御览》卷991页6。
[2] **王不流行**　《纲目》引吴普文作"不留行"。

61　鬼督邮[1]

一名神草，一名阎狗。或生太山[2]，或少室。茎如箭，赤无叶。根如芋子。三月、四月、八月采根，日干。治痈肿。

【校注】

[1] **鬼督邮**　见《御览》卷991页8。
[2] **太山**　今山东泰安。

62　葛根[1]

黄帝：甘。生太山[2]。

【校注】

[1] **葛根**　《御览》卷995页3。
[2] **生太山**　《别录》作"生汶山"。

63　栝楼[1]

一名泽巨，一名泽治[2]。

【校注】

[1] **栝楼**　见《御览》卷992页7。
[2] **泽治**　孙星衍辑《本经》引吴普文作"泽姑"。

64　当归[1]

神农、黄帝、桐君、扁鹊：甘，无毒。岐伯、雷公：辛，无毒。李氏[2]：小温。或生羌胡地[3]。

【校注】

［1］**当归** 见《御览》卷989页6。

［2］**李氏** 《御览》作"季氏"。

［3］**羌胡地** 今甘肃地区。

65 麻黄[1]

一名卑相，一名卑监。神农、雷公：苦，无毒。扁鹊：酸，无毒。李氏[2]：平。或生河东[3]。四月、立秋采。

【校注】

［1］**麻黄** 见《御览》卷993页4。

［2］**李氏** 《御览》作"季氏"。

［3］**河东** 今山西地区。

66 通草[1]

一名丁翁，一名附支。神农、黄帝：辛。雷公：苦。生石城山谷。叶青，蔓延。止汗自[2]，正月采。

【校注】

［1］**通草** 见《御览》卷992页6。

［2］**止汗自** 另本作"止自汗"。

67 芍药[1]

一名甘积[2]，一名解仓，一名诞，一名余容，一名白术。神农：苦。桐君：甘，无毒。岐伯：咸。李氏[3]：小寒。雷公：酸。三月三日生[4]。

【校注】

［1］**芍药** 见《御览》卷990页7。

［2］**甘积** 《御览》作"其积"。

［3］**李氏** 《御览》作"季氏"。

[4] **三月三日生** 孙星衍辑《本经》引吴普文作"三月三日采"。

68 蠡实[1]

一名剧草，一名三坚，一名剧荔华。

【校注】

[1] **蠡实** 见《御览》卷991页9。明抄本《御览》作"蠡实华"。

69 元参[1]

一名鬼藏，一名正马，一名重台，一名鹿复[2]，一名端，一名元台。神农、桐君、黄帝、扁鹊：苦。雷公；苦，无毒。岐伯：咸。李氏[3]：寒。或生宛朐[4]山阳。二月生，叶如梅毛[5]，四四相值，以芍药黑[6]，茎方，高四五尺，华赤，生枝间，四月实黑。

【校注】

[1] **元参** 见《御览》卷991页3。原作"玄参"，清代人刻书，避康熙皇帝玄烨讳，改玄为元。下同。

[2] **一名鹿复** 《御览》作"一名鹿肠"，孙星衍辑《本经》引吴普文作"一名鹿腹"。

[3] **李氏** 《御览》作"季氏"。

[4] **宛朐** 今山东菏泽。

[5] **叶如梅毛** 《纲目》引吴普文作"其叶有毛"。

[6] **以芍药黑** 《纲目》引吴普文作"似芍药黑"。按："以"通"似"。

70 百合[1]

一名重迈，一名中庭[2]。生宛朐[3]及荆山。[此条掌禹锡所引]

【校注】

[1] **百合** 见《艺文》卷81。

[2] **中庭** 其下，《艺文》有"一名重匡"。

[3] **宛朐** 今山东菏泽。

71 知母[1]

一名提母。神农、桐君：无毒。补不足，益气。

【校注】

［1］**知母** 见《御览》卷990页3。按：《御览》缺"知母"。

72　白芷[1]

一名蒚，一名苻离，一名泽芬，一名葌[2]。

【校注】

［1］**白芷** 见《御览》卷983页5。

［2］**一名葌** 孙星衍辑《本经》引吴普文作"一名晓"。

73　淫羊霍[1]

神农、雷公：辛。季氏：小寒。坚骨。

【校注】

［1］**淫羊霍** 见《御览》卷993页3。"霍"，《证类》引吴普文作"藿"。

74　黄芩[1]

一名黄文，一名妬妇，一名红滕[2]，一名径芩[3]，一名印头，一名内虚。神农、桐君、黄帝、雷公、扁鹊：苦，无毒。李氏：小温。二月生，赤黄，叶两两四四[4]相值。其茎空中，或方员。高三四尺。四月花紫红赤。五月实黑，根黄。二月至九月采。

【校注】

［1］**黄芩** 见《御览》卷992页2。

［2］**红滕** 《御览》作"虹胜"，《广雅疏证》引吴普文作"虹肠"。

［3］**一名径芩** 《御览》作"经芩"。

［4］**四四** 《纲目》引吴普文作"四面"。

75　狗脊[1]

一名狗青，一名萆薢，一名赤节，一名强膂。神农：苦。桐君、黄帝、雷公、扁鹊：甘，无毒。李氏^[2]：［掌禹锡引有"小"字］温^[3]。如菫^[4]［掌禹锡引，此下有"藓，茎节如竹有刺，叶圆赤，根黄白，亦如竹，根毛有刺"］。

【校注】

［1］**狗脊**　见《御览》卷990页7。

［2］**李氏**　《御览》作"季氏"。

［3］**温**　《证类》《纲目》引吴普文作"小温"。

［4］**如菫**　《御览》作"如草藓，茎节如竹，有刺，叶圆青赤，根黄白，亦如竹，根毛有刺。岐伯、一经：茎无节，根黄白，如竹根有刺，叶端圆赤，皮白有赤脉。二月采。"

76　石龙芮^[1]

一名姜苔，一名天豆。神农：苦，平。岐伯：酸。扁鹊、李氏^[2]：大寒。雷公：咸，无毒。五月五日采。

【校注】

［1］**石龙芮**　见《御览》卷992页9、993页5。

［2］**李氏**　《御览》作"季氏"。

77　紫苑^[1]

一名青苑。

【校注】

［1］**紫苑**　见《御览》卷993页5。

78　紫草^[1]

节赤二月花。

【校注】

［1］**紫草**　见《御览》卷996页7。其后，《纲目》引吴普文有"一名地血"。

79　酸浆^[1]

一名酢浆^[2]。

【校注】

[1] **酸浆** 见《御览》卷998页5。

[2] **酢浆** 按："酢"同"醋"。又，"浆"，孙星衍辑《本经》引吴普文作"酱"。疑孙本有笔误。

80 牡蒙[1]

一名紫参，一名泉戎[2]，一名音腹，一名伏菟，一名重伤。神农、黄帝：苦。李氏[3]：小寒。生河西[4]山谷，或宛朐[5]商山。圆聚生，根黄赤有文，皮黑中紫。五月花紫赤，实黑，大如豆。三月采根。

【校注】

[1] **牡蒙** 原作"伏蒙"，据《御览》卷990页8改。

[2] **泉戎** 《御览》作"众戎"。

[3] **李氏** 《御览》作"季氏"。

[4] **河西** 今陕西地区。

[5] **宛朐** 今山东菏泽。

81 水萍[1]

一名水廉。生池泽水上。叶圆小，一茎一叶，根入水。五月华白[2]，三月采，日干之。

【校注】

[1] **水萍** 见《御览》卷1000页2。

[2] **根入水。五月华白** 《纲目》引吴普文作"根入水底，五月白华"。

82 泽兰[1]

一名水香。神农、黄帝、岐伯、桐君：酸，无毒。李氏[2]：温。生地下水旁，叶如兰。二月生香[3]，赤节，四叶相值枝节间。三月三日采。

【校注】

[1] **泽兰** 见《御览》卷990页7。

［2］ **李氏** 《御览》作"季氏"。

［3］ **香** 另本作"苗"，"苗"字义长。

83　菖蕨[1]

一名百枝[2]。

【校注】

［1］ **菖蕨** 见《御览》卷990页7。

［2］ **一名百枝** 按："百枝"亦是《本经》药狗脊的异名。《纲目》"狗脊"条注："《吴普本草》谓百枝为菖蕨，似误也。"

84　木防己[1]

一名解离，一名解燕。神农：辛。黄帝、岐伯、桐君：苦，无毒。李氏[2]：大寒。如葛茎[3]，蔓延如芄，白根，外黄似桔梗，内黑又[4]如车辐解。二月、八月、十月采叶根。

【校注】

［1］ **木防己** 见《御览》卷991页6。

［2］ **李氏** 《御览》作"季氏"。

［3］ **如葛茎** 《纲目》引当之曰作"其茎如葛"。孙星衍辑《本经》引吴普文作"如芳茎"。

［4］ **又** 孙星衍辑《本经》引吴普文同，《御览》作"文"。

85　牡丹[1]

神农、岐伯：辛。李氏[2]：小寒。雷公、桐君：苦，无毒。黄帝：苦，有毒。叶如蓬相值，黄色。根如栢[3]黑，中有核。一月采，八月采，日干，人食之[4]，轻身益寿。

【校注】

［1］ **牡丹** 见《御览》卷992页6。

［2］ **李氏** 《御览》作"季氏"。

［3］ **根如栢** 孙星衍辑《本经》引吴普文同，《御览》作"根如指"。

［4］ **人食之** 《御览》作"可食之"，《纲目》引吴普文作"久服"，明抄本《御览》作"久食之"。

86 女苑^[1]

一名白苑，一名识^[2]女苑。

【校注】

[1] **女苑** 见《御览》卷991页8。

[2] **识** 孙星衍辑《本经》引吴普文同，《御览》作"织"。

87 黄孙^[1]

一名王孙，一名蔓延，一名公草，一名海孙^[2]。神农、雷公：苦，无毒。黄帝：甘，无毒。生海西^[3]山谷，及汝南^[4]城郭垣下，蔓延赤文，茎叶相当。

【校注】

[1] **黄孙** 见《御览》卷993页8。

[2] **一名王孙……一名海孙** 以上16字，《纲目》引吴普文作"楚名王孙，齐名长孙，又名海孙，吴名白功草，又名蔓延"。

[3] **海西** 今江苏东海。

[4] **汝南** 今河南汝南。

88 爵麻^[1]

一名爵卿。

【校注】

[1] **爵麻** 见《御览》卷991页7。《本经》作"爵床"。《纲目》注："爵床不可解，按《吴氏本草经》作爵麻甚通。"

89 附子^[1]

名茛^[2]。神农：辛。岐伯、雷公：甘，有毒。李氏^[3]：苦，有毒，大温。或生寒漠。八月采，皮黑肥白^[4]。

【校注】

[1] **附子** 见《御览》卷990页2。

[2] **名茛** 按本书体例，当作"一名茛"。

[3] **李氏** 《御览》作"季氏"，《纲目》引吴普文作"李当之"。

[4] **肥白** 孙星衍辑《本经》引吴普文同，《御览》作"肌白"。

90　乌头[1]

一名茛，一名千秋[2]［掌禹锡引作"狄"］，一名毒公，一名果［掌禹锡引作"卑"］负[3]，一名耿子。神农、雷公、桐君、黄帝：甘，有毒。正月始生，叶厚，茎方，中空。叶四面[4]［掌禹锡引作"四四"］相当与蒿相似。

【校注】

[1] **乌头** 见《御览》卷990页2。

[2] **千秋** 《纲目》引吴普文作"帝秋"，孙星衍辑《本经》引吴普文作"千狄"。

[3] **果负** 孙星衍辑《本经》引吴普文作"卑负"。

[4] **四面** 《证类》《纲目》引吴普文作"四四"。

91　乌喙[1]

神农、雷公、桐君、黄帝：有毒。李氏[2]：小寒。十月采，形如乌头有两枝[3]［掌禹锡引作"岐"］相合，如乌之喙，名曰乌喙也。所畏恶使，尽与乌头同。

【校注】

[1] **乌喙** 见《御览》卷990页2。

[2] **李氏** 《御览》作"季氏"。

[3] **两枝** 《御览》同，《证类》引吴普文作"两岐"。

92　蒴子[1]

一名茛。神农、岐伯：有大毒。李氏[2]：大寒。八月采，阴干，是附子角之大者。畏恶与附子同。

【校注】

[1]**蒴子** 见《御览》卷990页2。

［2］**李氏** 《御览》作"季氏"。

93 半夏[1]

一名和姑。生微邱，或生野中。叶三三相值偶。二月始生，白华圆上。

【校注】

［1］**半夏** 见《御览》卷992页5。

94 虎掌[1]

神农、雷公：无毒[2]。岐伯、桐君：辛，有毒。或生太山，或宛朐[3]。立秋九月采。

【校注】

［1］**虎掌** 见《御览》卷990页4。

［2］**无毒** 《纲目》引吴普文作"苦，有毒。"

［3］**宛朐** 今山东菏泽。

95 大黄[1]

一名黄良，一名火参，一名肤如。神农、雷公：苦，有毒。扁鹊：无毒。李氏[2]：小寒，为中将军。或生蜀郡[3]北部，或陇西[4]。二月花生[5]，生黄赤。叶四四相当，黄茎，高三尺许。三月黄，五月实黑。三月采根，根有黄汁，切，阴干。

【校注】

［1］**大黄** 见《御览》卷992页4。

［2］**李氏** 《御览》作"季氏"。

［3］**蜀郡** 今四川成都地区。

［4］**陇西** 今甘肃陇西。

［5］**二月花生** 孙星衍辑《本经》引吴普文同。《御览》作"二月卷生"。

96 蠡尾[1]

治虫毒[2]。

【校注】

[1] **裁尾** 见《御览》卷988页8。

[2] **治虫毒** 《御览》作"治蛊毒"。

97 桔梗[1]

一名符蔰，一名白药，一名利如，一名梗草，一名卢如。神农、医和：苦，无毒。扁鹊、黄帝：咸。岐伯、雷公：甘，无毒。李氏[2]：大寒。叶如荠苨，茎如笔管，紫赤。二月生[3]。

【校注】

[1] **桔梗** 见《御览》卷993页2。

[2] **李氏** 《御览》作"季氏"。

[3] **二月生** 其下，《本草汇言》引吴普文有"生嵩山山谷及冤句"8字。

98 梨芦[1]

一名山葱，一名丰芦，一名蕙葵，一名公苒。神农、雷公：辛，有毒。黄帝：有毒。岐伯：咸，有毒。李氏[2]：大毒，大寒。扁鹊：苦，毒[3]，大寒。叶[4]根小相连。二月采根。

【校注】

[1] **梨芦** 见《御览》卷990页3。

[2] **李氏** 《御览》作"季氏"。

[3] **毒** 《御览》作"有毒"。

[4] **叶** 《御览》作"大叶"。

99 秦钩吻[1]

一名毒根，一名野葛。神农：辛。雷公：有毒，杀人。生南越山，或益州[2]。叶如葛，赤茎，大如箭，方[3]［掌禹锡引无"方"字］根黄。或生会稽[4]东冶。正月采。

【校注】

[1] **秦钩吻** 见《御览》卷990页5。

［2］ **益州** 今四川。

［3］ **方** 《纲目》引吴普文作"而方"。

［4］ **会稽** 今浙江绍兴。

100 射干^[1]

一名黄远。

【校注】

［1］ **射干** 见《御览》卷 992 页 6。

101 蜀漆^[1]

叶，一名恒山。神农、岐伯、雷公：辛，有毒。黄帝：辛。一经：酸。如漆叶、蓝菁相似。五月采。

【校注】

［1］ **蜀漆** 见《御览》卷 992 页 3。

102 恒山^[1]

一名七叶。神农、岐伯：苦。李氏^[2]：大寒。桐君：辛，有毒。二月、八月采。

【校注】

［1］ **恒山** 见《御览》卷 992 页 3。后世因避讳，改名常山。

［2］ **李氏** 《御览》作"季氏"。

103 甘遂^[1]

一名圭田，一名日泽，一名重泽，一名鬼丑，一名陵藁，一名甘藁，一名苦泽。神农、桐君：苦，有毒。岐伯、雷公：有毒^[2]。扁须。二月、八月采。

【校注】

［1］ **甘遂** 见《御览》卷 993 页 7。

[2] **有毒** 《纲目》引吴普文作"甘，有毒"。

104 白及[1]

神农：苦。黄帝：辛。李氏[2]：大寒。雷公：辛，无毒。茎叶似生姜[3]。[此条掌禹锡所引]

【校注】

[1] **白及** 见《御览》卷990页8。其下，《御览》有"一名白根"。

[2] **李氏** 《御览》作"季氏"。

[3] **似生姜** 《御览》作"似生姜、藜芦也。十月花直上紫赤，根白，连。二月、八月、九月采，生宛句。"

105 茵芋[1]

一名卑山共[2]。微温，有毒。状如莽草而细软。

【校注】

[1] **茵芋** 见《御览》卷992页7。

[2] **卑山共** 孙星衍辑《本经》引吴普文作"卑共"。

106 贯众[1]

一名贯中[2]，一名渠母，一名贯钟，一名伯芹，一名药藻，一名扁符，一名黄钟。神农、岐伯：苦，有毒。桐君、扁鹊：苦。一经：甘，有毒。黄帝：咸、酸，微苦[3]，无毒。叶青黄，两两相对，茎黑毛，聚生[4]。冬夏不老[5]。四月花，八月实黑，聚相连卷旁行生。三月、八月采根，五月采叶。

【校注】

[1] **贯众** 见《御览》卷990页4。

[2] **一名贯中** 其上，《御览》有"一名贯来"。

[3] **微苦** 原作"一名苦"，据鲍本《御览》改。

[4] **聚生** 《纲目》引吴普文作"丛生"。

[5] **冬夏不老** 孙星衍辑《本经》引吴普文同，《御览》作"冬夏不死"。

107 羊踯躅花[1]

神农、雷公：辛，有毒。生淮南[2]。治贼风恶毒，诸邪气。

【校注】

[1] **羊踯躅花** 见《御览》卷 992 页 2。

[2] **淮南** 今安徽寿县地区。

108 萹蓄[1]

一名蓄辨，一名萹蔓。

【校注】

[1] **萹蓄** 见《御览》卷 998 页 4。

109 白头翁[1]

一名野丈人，一名奈何草。神农、扁鹊：苦，无毒。生嵩山[2] 川谷。破气狂[3] 寒热，止痛。

【校注】

[1] **白头翁** 见《御览》卷 990 页 8。

[2] **嵩山** 今属河南登封。

[3] **破气狂** 孙星衍辑《本经》引吴普文同，《御览》作"治气狂"，鲍本《御览》作"治风狂"。

110 鬼臼[1]

一名九臼，一名天臼，一名雀犀，一名马目公，一名解毒。生九真山谷及宛朐[2]。二月、八月采根。

【校注】

[1] **鬼臼** 见《御览》卷 993 页 2。

[2] **宛朐** 今山东菏泽。

111　女青[1]

一名霍由祇。神农、黄帝：辛。

【校注】

[1]　**女青**　见《御览》卷993页7。

112　翘根[1]

神农、雷公：甘，有毒[2]。三月、八月采。以作蒸饮酒病人。

【校注】

[1]　**翘根**　见《御览》卷991页8。其下，《纲目》引吴普文有"一名兰华"。

[2]　**有毒**　其下，《纲目》引吴普文有"李当之：苦"。

113　闾茹[1]

一名离楼，一名屈居。神农：辛。岐伯：酸，咸，有毒。李氏[2]：大寒。二月采。叶圆黄，高四五尺，叶四四相当，四月华黄，五月实，实黑，根黄，有汁，亦同黄。三月、五月采根，黑头者良。

【校注】

[1]　**闾茹**　见《御览》卷991页7。

[2]　**李氏**　《御览》作"季氏"。

114　石长生[1]

神农：苦。雷公：辛。一经[2]：甘。生咸阳[3]或同阳。

【校注】

[1]　**石长生**　见《御览》卷991页8。

[2]　**一经**　《纲目》引吴普文作"桐君"。

[3]　**咸阳**　今陕西咸阳。

115　小华[1]

一名结草。

【校注】

[1] **小华**　见《御览》卷991页8。

116　豕骨[1]

一名泽蓝，一名豕首。神农、黄帝：甘、辛，无毒。生宛朐[2]。五月采。

【校注】

[1] **豕骨**　见《御览》卷992页8。按：《御览》原缺正名，其目录有"豕首"为正名，但无"豕骨"之名。

[2] **宛朐**　今山东菏泽。

117　龙芮[1]

一名水姜苔[2]。

【校注】

[1] **龙芮**　见《御览》卷992页9、993页5。其上，《御览》有"石"字。

[2] **水姜苔**　其下，《御览》有"一名姜苔，一名天豆。神农：苦，平。岐伯：酸。扁鹊、季氏：大寒。雷公：咸，无毒。五月五日采。"

118　狼牙[1]

一名支兰，一名狼齿，一名大牙[2]，一名抱牙。神农、黄帝：苦，有毒。桐君：或咸。岐伯、雷公、扁鹊：苦，无毒。生宛朐[3]。叶青，根黄赤。六月、七月华，八月实黑。正月、八月采根[4]。

【校注】

[1] **狼牙**　见《御览》卷993页3。

[2] **大牙**　《御览》作"犬牙"。

［3］ **宛朐** 今山东菏泽。

［4］ **根** 其下，《本草汇言》引吴普文有"消痃癖"。

119 因尘^[1]

神农、岐伯、雷公：苦，无毒。黄帝：辛，无毒。生田中，叶如蓝。十一月采。

【校注】

［1］ **因尘** 见《御览》卷993页8，因尘亦作因陈，《本草拾遗》云："因陈虽蒿类，苗细，经冬不死，更因旧苗而生，故名因陈。"

120 蚨瓮^[1]

一名决盆。

【校注】

［1］ **蚨瓮** 见《御览》卷993页8。

121 王刍^[1]

一名黄草。神农、雷公：苦^[2]。生太山山谷。治身热邪气小儿身热气。

【校注】

［1］ **王刍** 见《御览》卷997页3。

［2］ **苦** 原脱，据鲍本《御览》补。

122 鼠尾^[1]

一名蘍^[2]，一名山陵翘。治痢也。

【校注】

［1］ **鼠尾** 见《御览》卷995页7。

［2］ **一名蘍** 《御览》作"一名勃"。

123　藜芦[1]

十月华直上，紫赤，根白连。二月、八月、九月采。

右草药共九十八种[2]。

【校注】

[1]　**藜芦**　见《御览》卷990页3。按：本书"98 梨芦"，与本条"藜芦"，似是一物，但文不同。疑为重出，详情待考。

[2]　**右草药共九十八种**　以上8字为焦循注文，非《吴氏本草经》原文。从焦循所收药物品种数看，实为101种。其中"108 萹蓄"原并在"107 羊踯躅条"内，"105 茵芋"并在"104 白及"条内，今将此2条分出，加之藜芦重出1条，共多出3种，使草药实有数为101种。

124　枸杞[1]

一名枸邑[2]，一名羊乳。

【校注】

[1]　**枸杞**　见《御览》卷990页8。

[2]　**枸邑**　孙星衍辑《本经》引吴普文作"枸巳"，鲍本《御览》作"枸芑"。

125　茯苓[1]

通神。桐君：甘。雷公、扁鹊：甘，无毒。或生华州[2]大松根下，入地三丈一尺。二月、七月采。

【校注】

[1]　**茯苓**　见《御览》卷989页3。

[2]　**华州**　《御览》作"益州"，孙星衍辑《本经》引吴普文作"茂州"。

126　谷树皮[1]

治喉闭痹[2]。一名楮。

【校注】

［1］ **谷树皮** 《御览》卷960页3作"谷木皮"。

［2］ **治喉闭痹** 《纲目》引吴普文作"主治喉痹"。

127　杜仲[1]

一名木绵，一名思仲。

【校注】

［1］ **杜仲** 见《御览》卷991页5。

128　枳实[1]

神农[2]：苦。雷公：酸，无毒。李氏[3]：大寒。九月、十月采，阴干。

【校注】

［1］ **枳实** 见《御览》卷992页4。

［2］ **神农** 以上2字原脱，据鲍本《御览》补。

［3］ **李氏** 《御览》作"季氏"。

129　厚朴[1]

一名厚皮。神农、岐伯、雷公：苦，无毒。李氏[2]：小温。生交趾[3]。

【校注】

［1］ **厚朴** 见《御览》卷989页4。

［2］ **李氏** 《御览》作"季氏"。

［3］ **交趾** 今越南北部地区。

130　蕤核[1]

一名蕤。神农、雷公：甘，无毒，平。生池泽[2]。八月采。补中[3]，强志，明耳目。久服不饥。

【校注】

[1] **蕹棋** 见《御览》卷 992 页 8。

[2] **生池泽** 鲍本《御览》作"生平地"。

[3] **补中** 其下，《御览》有"强中"2 字。

131 山茱萸[1]

一名魆（音伎）实，一名鼠矢，一名鸡足。神农、黄帝、雷公、扁鹊：酸，无毒。岐伯：辛。一经：酸。或生宛朐[2]，琅玡[3]，或东海承县[4]。叶如梅，有刺毛。二月华，如杏。四月实如酸枣赤。五月采实。

【校注】

[1] **山茱萸** 见《御览》卷 991 页 4。

[2] **宛朐** 今山东菏泽。

[3] **琅玡** 今山东诸城海边小岛。

[4] **东海承县** 今江苏武进。

132 紫葳[1]

一名武威，一名瞿麦，一名陵居腹，一名鬼目，一名茇华[2]。神农、雷公：酸。岐伯：辛。扁鹊：苦、咸。黄帝：甘，无毒。如麦，根黑。正月、八月采。或生真定[3]。

【校注】

[1] **紫葳** 见《御览》卷 992 页 7。

[2] **茇华** 孙星衍辑《本经》引吴普文作"茇华"。

[3] **真定** 今河北正定。

133 猪苓[1]

神农：甘。雷公：苦，无毒。如茯苓。或生宛朐[2]。八月采。

【校注】

[1] **猪苓** 见《御览》卷 989 页 4。

[2] **宛朐** 今山东菏泽。

134　龙眼[1]

一名比目[2]。

【校注】

[1] **龙眼**　见《御览》卷973页1，又见《要术》卷10页250。

[2] **一名比目**　其上，《御览》有"一名益智"；其下，《纲目》引吴普文有"一名龙目"。

135　鬼箭[1]

一名卫矛[2]。神农、黄帝、桐君：苦，无毒。叶如桃如羽。正月、二月、七月采，阴干。或生野田[3]。

【校注】

[1] **鬼箭**　见《御览》卷993页4。

[2] **一名卫矛**　《御览》作"一名卫与"。

[3] **野田**　《纲目》引吴普文作"田野"。

136　巴豆[1]

一名巴菽。神农、岐伯、桐君：辛，有毒。黄帝：甘，有毒。李氏[2]：主温热寒[3]。叶如大豆。八月采。

【校注】

[1] **巴豆**　见《御览》卷993页2。

[2] **李氏**　《御览》作"季氏"。

[3] **主温热寒**　按药理当作"生温熟寒"。

137　郁李[1]

一名雀李，一名车下李，一名棣。

【校注】

[1] **郁李**　《御览》卷973页3作"郁核"。

138 莽草[1]

一名春草。神农：辛。雷公、桐君：苦，有毒。生上山谷中[2]，或宛朐[3]。五月采。治风。

【校注】

[1] **莽草** 见《御览》卷993页3。

[2] **生上山谷中** 《御览》作"生谷山中"。

[3] **宛朐** 今山东菏泽。

139 雷丸[1]

一名雷实。神农：苦。黄帝、岐伯、桐君：甘，有毒。扁鹊：甘，无毒。李氏[2]：大寒。或生汉中[3]。八月采。

【校注】

[1] **雷丸** 见《御览》卷990页3。

[2] **李氏** 《御览》作"季氏"。

[3] **汉中** 今陕西汉中。

140 岑皮[1]

一名秦皮。神农、雷公、黄帝、岐伯：酸，无毒。

【校注】

[1] **岑皮** 见《御览》卷992页3。

141 蜀黄环[1]

一名生刍，一名根韭。神农、黄帝、岐伯、桐君、扁鹊：辛。一经：味苦，有毒。二月生，初出正赤[2]，高二尺，叶黄圆，端大，茎、叶有汁黄白。五月实圆。三月采根。根黄纵如车辐解。治蛊毒。

【校注】

［1］ **蜀黄环** 见《御览》卷 993 页 6。

［2］ **初出正赤** 《纲目》引吴普文作"苗正赤"。

142 鼠李[1]

一名牛李。

【校注】

［1］ **鼠李** 见《御览》卷 991 页 9。

143 木瓜[1]

生夷陵[2]。

【校注】

［1］ **木瓜** 见《御览》卷 973 页 3。

［2］ **夷陵** 今湖北宜昌。

144 芫华[1]

一名去水，一名败华，一名儿草根[2]，一名黄大戟。神农、黄帝：有毒。扁鹊、岐伯：苦。李氏：大寒[3]。二月生，叶青加厚则黑，华有紫赤白者。三月实落尽叶乃生。三月、五月采华[4]。

【校注】

［1］ **芫华** 见《御览》卷 992 页 1。

［2］ **儿草根** 《本草图经》引吴普文无"根"字。

［3］ **李氏：大寒** 《纲目》引吴普文作"李当之：有大毒"。

［4］ **三月、五月采华** 《纲目》引吴普文作"三月采花，五月采叶"。

145 芫根[1]

一名赤芫根。神农[2]、雷公：苦，有毒。生邯郸[3]。九月、八月采阴干。久服[4]令人泄，可用毒杀虫[5]。

右木药共二十一种[6]。

【校注】

[1] **芫根** 《御览》卷992页1作"芫华根"。

[2] **神农** 其下，《本草图经》引吴普文有"辛"字。

[3] **邯郸** 今河北邯郸。

[4] **久服** 《纲目》引吴普文作"多服"。

[5] **杀虫** 《御览》作"杀鱼"。

[6] **右木药共二十一种** 以上8字，为焦循注文，非吴普原文。所云木药21种，实乃22种。

146 龙骨[1]

生晋地[2]山谷阴，大水所过处，是龙死骨也。[掌禹锡引有"色"字]青白者善。十二月采，或无时。龙骨畏干漆、蜀椒、理石。

【校注】

[1] **龙骨** 见《御览》卷988页7。

[2] **晋地** 今山西地区。

147 龙齿[1]

神农、李氏[2]：大寒。治惊痫。久服轻身。

【校注】

[1] **龙齿** 见《御览》卷988页7。

[2] **李氏** 《御览》作"季氏"。

148 牛黄[1]

[掌禹锡引有"无毒"]牛出入鸣吼[掌禹锡引无"鸣吼"有"呻"]者有之，夜视有光，走牛角中。[掌禹锡引有"牛"字]死其[掌禹锡作"入"]胆中如鸡子[此条亦见《汉书·延笃传》]黄[2]。

【校注】

[1] **牛黄** 见《御览》卷987页4。其下，《证类》引吴普文有"味苦，无毒"。

[2] **死其胆中如鸡子黄**　《御览》作"牛死入胆中如鸡子黄。"

149　运日[1]

一名羽鸩。

【校注】

[1] **运日**　见《御览》卷 927 页 8。

150　雁肪[1]

神农、岐伯、雷公：甘，无毒。采无时。肪杀诸石药毒。
右禽兽药共五种[2]。

【校注】

[1] **雁肪**　见《御览》卷 988 页 8。
[2] **右禽兽药共五种**　以上 7 字为焦循注文，非《吴氏本草经》原文。

151　石蜜[1]

神农、雷公：甘，气平。生河源[2]，或河梁。

【校注】

[1] **石蜜**　见《御览》卷 988 页 5。
[2] **河源**　黄河的源头，今青海一带。

152　伏翼[1]

或生人家屋间，立夏后采阴干[2]。治目冥，令人夜夜有光。

【校注】

[1] **伏翼**　见《艺文》卷 97 页 8。
[2] **立夏后采阴干**　原脱"采"，据《药理》补。

153　桑蛸条[1]

一名害焦[2]，一名致。神农：咸，无毒。

【校注】

［1］ **桑蛸条** 见《御览》卷946页6。

［2］ **一名害焦** 其上，《御览》有"蚀肒"2字。又，"害焦"，《广雅疏证》螳螂条注："《御览》引《吴普本草》云：桑螵蛸，一名冒焦。"

154 海蛤[1]

神农：苦。岐伯：甘。扁鹊：咸。大节，头有文，文如磨齿[2]，采无时。

【校注】

［1］ **海蛤** 见《御览》卷988页8。

［2］ **文如磨齿** 《纲目》引吴普作"文如锯齿"。

155 石龙子[1]

一名守宫，一名石蜴，一名山龙子[2]。

【校注】

［1］ **石龙子** 见《御览》卷946页4。

［2］ **山龙子** 原作"石龙子"，据《御览》改。

156 衣中白鱼[1]

一名蟫。

【校注】

［1］ **衣中白鱼** 见《御览》卷946页4。《本经》名衣鱼。

157 蜚廉虫[1]

神农、黄帝云：治妇人寒热[2]。

【校注】

［1］ **蜚廉虫** 见《御览》卷949页8。

［2］ **寒热** 其上，《纲目》引吴普文有"癥坚"2字。

158 马刀[1]

一名齐蛤[2]。神农、岐伯、桐君：咸，有毒。扁鹊：小寒，大毒。生池泽江海[3]。采无时也。

【校注】

[1] **马刀** 见《御览》卷993页7。
[2] **齐蛤** 《别录》作"马蛤"。
[3] **江海** 《别录》作"江湖"。

159 蛇脱[1]

一名龙子单衣，一名弓皮，一名蛇附，一名地筋，一名龙皮，一名龙单衣。

【校注】

[1] **蛇脱** 见《御览》卷934页5。孙星衍辑《本经》引吴普文作"蛇蜕"。

160 蚯蚓[1]

一名白颈蟪蟆，一名附引[2]。

【校注】

[1] **蚯蚓** 见《御览》卷947页2。
[2] **附引** 其下，《纲目》引吴普文有"一名寒宪，一名寒引"。

161 斑猫[1]

一名斑蚝，一名龙蚝，一名龙斑茵[2]，一名腾发[3]，一名晏清。神农：辛。岐伯：咸。桐君：有毒。扁鹊：有大毒。生河内[4]川谷，或生水石[5]。

【校注】

[1] **斑猫** 见《御览》卷951页8。
[2] **龙斑茵** 《御览》作"斑茵"，《证类》引吴普文作"斑菌"。
[3] **腾发** 原脱"腾"，据《御览》补。孙星衍辑《本经》引吴普文作"胜发"。又，"发"

下，《证类》《纲目》引吴普文有"一名盘蛩"。

[4] **生河内** 原本脱"生"字，据《证类》引吴普文补。"河内"，今河南北部地区。

[5] **生水石** "石"原本作"食"，据《御览》改。又，《纲目》引吴普文作"亦生木石"。

162 地胆[1]

一名元青，一名杜龙，一名青虹[2]。

【校注】

[1] **地胆** 见《御览》卷951页8。

[2] **青虹** 《广雅疏证》地胆条注："《御览》引吴普作青蛙"。

163 丹鸡卵[1]

可作琥珀。

【校注】

[1] **丹鸡卵** 见《御览》卷928页7。

164 尘虫[1]

一名土鳖。

【校注】

[1] **尘虫** 见《御览》卷949页8。孙星衍辑《本经》引吴普文作"䗪虫"。

165 马蚿[1]

一名马轴。

右鱼虫药共十五种[2]。

【校注】

[1] **马蚿** 见《御览》卷948页5。《广雅疏证》蛆蟝条注："《御览》引吴普：马蚿，一名马轴。又谓之马陆。"

[2] **右鱼虫药共十五种** 以上8字为焦循注文，非《吴氏本草经》原文。

166　千岁垣中腐皮[1]

得姜、赤石脂共治[2]。

【校注】

[1] **千岁垣中腐皮**　见《御览》卷993页8。又，"腐"，《御览》作"肤"。

[2] **治**　其下疑有脱文。

167　胡麻[1]

一名方金[2]，一名狗虱。神农、雷公：甘，平，无毒。立秋采。

【校注】

[1] **胡麻**　见《御览》卷989页6。

[2] **方金**　《纲目》引吴普文作"方茎"。

168　青蘘[1]

神农：苦。雷公：甘。

【校注】

[1] **青蘘**　见《御览》卷989页6。其下，《御览》有"一名蔓"，孙星衍辑《本经》引吴普文有"一名梦神"。又，《唐本草》注："青蘘，《本经》在草部上品，既堪啖，今从胡麻条下。"据此，青蘘在《本经》中是列在草部的。

169　麻子中人[1]

神农、岐伯：辛。雷公、扁鹊：无毒，不欲牡蛎、白薇。先藏地中者，食杀人[2]。

【校注】

[1] **麻子中人**　见《御览》卷995页2。

[2] **食杀人**　《纲目》引吴普文作"食之杀人"。

170 麻蓝[1]

一名麻蕡，一名青欲[2]，一名青葛。神农：辛。岐伯：有毒。雷公：甘。畏牡蛎、白薇。叶上有毒，食之杀人。

【校注】

[1] **麻蓝** 见《御览》卷995页2。

[2] **一名青欲** 《御览》作"青羊"。

171 麻勃[1]

一名花[2]。雷公：辛，无毒。畏牡蛎。

右米谷药共六种[3]。

【校注】

[1] **麻勃** 见《御览》卷995页2。按："麻勃"，原倒置，据《御览》正。

[2] **一名花** 《御览》作"一名麻花"。

[3] **右米谷药共六种** 以上7字为焦循注文，非《吴氏本草经》原文。

172 覆盆子[1]

一名马瘘，一名陆荆。

【校注】

[1] **覆盆子** 《御览》覆盆子条注出处为《甄氏本草》，非《吴氏本草经》。又《御览》卷993页8有"缺瓮"。孙星衍辑《本经》引吴普文作"缺盆"。郭璞注《尔雅》云："茥，蕻盆也。实似莓而小，亦可食。"疑本条似与前条"120缺瓮"重复。

173 李核[1]

治仆僵。花，令人好颜色。

【校注】

[1] **李核** 见《御览》卷968页6。《别录》作"李核人"。

174　梅核[1]

明目，益气[2]。

【校注】

[1]　**梅核**　见《初学记》卷 28 页 15。孙星衍辑《本经》引吴普文作"梅实"。
[2]　**益气**　其下，《初学记》有"不饥"2 字。

175　樱桃[1]

味甘，主调中，益脾气，令人好颜色，美志气。一名朱桃，一名麦英。[《证类本草》，书传引《吴普本草》曰：樱桃一名朱茱，一名麦。甘酣。]

右果药共三种[2]。

【校注】

[1]　**樱桃**　见《御览》卷 969 页 6。
[2]　**右果药共三种**　以上 6 字为焦循注文，非《吴氏本草经》原文。所云"三种"，可能指覆盆子、李核、樱桃 3 种。其中梅核，是记在焦循手稿书眉上的，疑为后来补录。

176　瓜子[1]

一名瓣。七月七日采。可作面脂。

【校注】

[1]　**瓜子**　见《御览》卷 978 页 8。《本经》作"白瓜子"。

177　蓼实[1]

一名野蓼，一名泽蓼。

【校注】

[1]　**蓼实**　见《御览》卷 979 页 3。其下，《艺文》有"一名天蓼"。

178　芥葙[1]

一名水苏，一名劳祖[2]。

【校注】

［1］**芥苴**　见《御览》卷980页2、《要术》卷3页51。

［2］**劳祖**　其下，《纲目》引吴普文有"一名鸡苏"。

179　淮木[1]

神农、雷公：无毒。生晋平阳、河东平泽。治久咳上气，伤中，羸虚，补中益气。

右菜药共四种[2]。

【校注】

［1］**淮木**　见《御览》卷993页8。

［2］**右菜药共四种**　以上6字为焦循注文，非《吴氏本草经》原文。

药名索引

说明：本索引含《吴氏本草经》270 味、焦循辑本 179 味。前者将吴普药物条文中所涉及的药名，亦视作辑本专条正名，后者无。本索引除录两书正名外，兼收条文中异名及校注文所涉及的药名。两书药名各编有序号，前者注明尚 1～尚 270，后者注明焦 1～焦 179。

本索引承蒙赵淑梅、赵怀舟、王小芸等同志代作，在此表示感谢。

尚志钧

于皖南医学院弋矶山医院

2003 年 11 月

《吴氏本草经》辑校

217

十二画

229

跋

  《吴氏本草经》的出版是尚老为中医药传承、发展所做努力的表现之一。在这里，我还想简单谈一谈这部书的特点，以及我与此书的关系、我与尚老的交往。

  本书辑录的药物总凡 270 味，约是文献记载《吴氏本草经》原书全部 441 味药物的 3/5。对于在 1800 年前写成、亡佚日久的《吴氏本草经》来说，能够将其辑复到这种程度是非常不容易的。尚志钧先生的这个辑本，到目前为止，是国内外辑复《吴普本草》最为完全的一个本子。更为重要的是，该书首次全文附录并校注了焦循所辑的《吴氏本草》——这个清乾隆年间的辑本是国内现存最早的《吴普本草》的辑本。据尚老讲："1958 年我在北京中药研究班进修时，托范行准先生弄个焦循照相手稿本。我用黑纸袋装的，至今仍能模模糊糊识出。我请一位年轻目力好的人抄出，加以复制，剪贴校注。"2003 年 10 月 27 日尚志钧先生把这个珍贵的抄本的复印件寄赠一份给我以作留念。虽然焦循的辑本很薄，他仅辑了 179 味药（较尚志钧的辑本少 91 味药），但这份薄薄的资料却是我和尚老友谊的象征，我将永远珍藏这份情谊、这份缘。

  我们是通过书信讨论本草问题而相识相知的，我与尚老先生从未见过面，仅是互相交换过照片。我们书信中讨论的主要内容是各种学术问题，当然，关乎本草的最多，仅有一次我们谈到了芜湖的小吃，更确切地说，是身在太原的我而不是身在芜湖的尚老谈到了芜湖的小吃。我在 2003 年 6 月 6 日的《太原晚报》上看到一篇关于芜湖小吃的小品文，我恨不得去芜湖大吃，可是身在芜湖的尚老饭菜却十分朴素、简单。他的老伴井子东说过："哪怕我准备的菜再多，每个菜他至多叨两次。平时，他极少吃荤菜，素菜也只简单地吃一点。"尚老自己说："早上，吃碗烫饭，一个鸡蛋，喝点豆浆，这就足矣。中午、晚上，都是米饭。'人是铁，饭是钢'——民谚不会错。至于荤菜，隔几天吃两个猪肉圆子就足够了。"生活中的尚志钧俭朴至此。

2003 年 12 月 12 日我还去信与尚老讨论一个小小的药名问题，信的大意是：偶然看到《本草纲目》降真香条中有"痈疽恶毒：番降末，枫、乳香，等分为丸，熏之，去恶气甚妙。集简方"一方。按以上常见的标点法，一般认为，此方由降真香、枫香、乳香 3 味药组成。然而，此处的"枫"和"乳香"之间似乎不应点断，理由是：第一，如果方中有 3 味药，那么前后 2 味用全称，中间 1 味用简称，文法上有失均衡；第二，《本草纲目》枫香脂条中曾说："枫香、松脂皆可乱乳香，其功虽次于乳香，而亦仿佛不远"，存在着把"枫香"叫作"枫乳香"的形态和功能上的基础；第三，若将"乳香"和功用仿佛不远的"枫香"在同一首方剂中等分使用，医理上有失简约。因此，我推测"枫乳香"就是"枫香"。尚老 2003 年 12 月 17 日便提笔为我复信了，没有多少客套，用的信纸也极为陈旧，信头第一句便是"关于枫香即枫乳香，我同意你的看法"，我高兴极了，虽然这仅仅是一个药名、一个标点的考量，但尚老却是那么仔细，那么认真。一时间我也品不清是一个小小发现得到认同后的一时喜悦，还是老人那份执着、那份热情带给我的感动。生活中的他是如此简单、如此朴素，学业中的他是如此仔细、如此认真。这就是我所知道的尚志钧老先生。

我曾经见到两部他所辑校的本草书籍为他人所抄袭出版，但限于我的经济实力，这两部抄袭之作我都未能购买，因此无法做出更深入的评价，我没有权力为谁鸣不平，但我希望尚老健康长寿，更希望他的书都能以他的名义出齐、出好。

赵怀舟

2004 年 1 月 12 日